A SAÚDE NA PANELA

Receitas culinárias sem a utilização de carnes, ovos, leite in natura, *manteiga, refinados e frituras.*

Renilde Barreto

A SAÚDE NA PANELA

Receitas culinárias sem a utilização de carnes, ovos, leite in natura, *manteiga, refinados e frituras.*

Capa e ilustrações
ANA MARIA F. BRASILEIRO

Revisão
ROZANA ORGE

EDITORA PENSAMENTO
São Paulo

Copyright © 1993 Renilde Barreto.

Edição	O primeiro número à esquerda indica a edição, ou reedição, desta obra. A primeira dezena à direita indica o ano em que esta edição, ou reedição foi publicada.	Ano
8-9-10-11-12-13-14-15		05-06-07-08-09-10-11

Direitos reservados
EDITORA PENSAMENTO-CULTRIX LTDA.
Rua Dr. Mário Vicente, 368 – 04270-000 – São Paulo, SP
Fone: 6166-9000 – Fax: 6166-9008
E-mail: pensamento@cultrix.com.br
http://www.pensamento-cultrix.com.br

Impresso em nossas oficinas gráficas.

"Comer é sempre mais do que nutrir-se. Celebra-se a vida. Atrás de cada alimento posto à mesa se revela todo o universo da matéria e da energia."

> Leonardo Boff,
> *Francisco de Assis, Homem do Paraíso,*
> Editora Vozes.

Sumário

Apresentação 9

Introdução 11

Informações necessárias 13

- Cozinhar, uma doação 15
- Como escolher verduras e frutas 15
- Corte dos vegetais 16
- Como refogar os alimentos 16
- Utensílios 16
- Temperatura e apresentação dos alimentos 17
- Combinações dos alimentos 17
- Líquidos durante as refeições 18

O que substituir na nossa cozinha e por quê? 19

- Açúcar refinado 21
- Farinha de trigo refinada 22
- Sal refinado 22
- Leite 22
- Queijos 23
- Manteiga e margarina 23
- Carnes 23
- Os ovos 25
- Batata-inglesa 25
- Leguminosas secas 26
- Café e chocolate 26

Receitas 27
- Saladas 29
- Pratos quentes 35
- Doces, salgados e sobremesas 77
- Pães 125
- Sopas 137
- Molhos 145

Cardápios 153

Apresentação

É com imensa alegria que vejo nascer, sob a forma de um livro, todo um trabalho de doação, amor e responsabilidade de uma mãe e companheira. Após ter tomado conhecimento das verdadeiras causas das doenças que afligiam seus filhos, através do mestre e amigo Fernando Hoisel, ela buscou modificar radicalmente a alimentação da sua família, sem, no entanto, acomodar-se apenas a proibir o uso de determinados alimentos, o que tornaria bastante monótono e frustrante o cardápio alimentar, principalmente para as crianças.

Como socióloga que é, começou a fazer da sua cozinha um verdadeiro campo de pesquisa, podemos até dizer um laboratório, onde a meta a ser alcançada era a transformação dos alimentos, que habitualmente fazem parte da rotina alimentar da maioria das pessoas e são elaborados, geralmente, com ingredientes nocivos à saúde, em alimentos saudáveis, bonitos e gostosos. Não era uma tarefa das mais fáceis, pois teriam de ser excluídos da cozinha, dentre outros, ingredientes como carnes, ovos, leite, manteiga e margarina. Mas o resultado está aqui, neste livro.

Agradeço a Deus o privilégio, não só meu, como de meus filhos, de já estarmos saboreando essas delícias há muitos anos.

Meu muito obrigado à companheira linda que, com seu amor e ternura, alimenta meu corpo e a minha alma.

César Augusto Barreto

NOTA: César Augusto Barreto é médico e desenvolve seu trabalho em medicina natural (dietoterapia e fitoterapia), iridologia e Florais de Bach.

Introdução

Dedico este livro, extremamente simples, com muito carinho, a todos aqueles que, por algum motivo, trocaram ou pretendem trocar seus hábitos alimentares por outros mais saudáveis, deixando de lado os alimentos que agridem nosso corpo através da química, hormônios, antibióticos, refinados, vacinas, frituras, etc.

Minha intenção é que ele possa vir a facilitar, de alguma forma, a vida das pessoas nessa transição para uma alimentação saudável, sem que precisem passar pelas dificuldades por mim enfrentadas.

Sei que toda mudança requer um processo de conscientização e determinação, pois a cada uma estamos indo de encontro a velhos hábitos, preconceitos e às facilidades por eles já estabelecidas.

São inúmeras as propagandas que diariamente chegam até nós, de diversas formas, mostrando as facilidades e vantagens de uma alimentação estritamente industrializada. Mas não nos esqueçamos de que quanto mais o homem se afasta da natureza e das coisas simples mais ele deteriora o corpo, tendo como conseqüência a desarmonia de todo o ser.

A alimentação natural não é, como a maioria das pessoas (em decorrência da falta de informação) a imagina, desagradável à vista e ao paladar, monótona, restrita; ao contrário, ela é saudável, bonita, saborosa e pode ser bastante diversificada.

Agradeço ao meu companheiro a grande força que me deu para que este livro se concretizasse. Aos meus filhos, a compreensão, os ensinamentos, os estímulos durante o nosso processo de mudança e também na elaboração deste livro. Também aos amigos, como Ana Brasileiro, que, de uma forma muito carinhosa e bela, soube expressar tão bem a energia angélica através das ilustrações. A Beta, o curso "ultra-rápido" de informática que tanto acelerou a disposição dos textos. A Lourdes Burgos, o grande incentivo, sua energia positiva e seu amor maternal, que tanto me tem ajudado desde o momento que a conheci. A Rozana Orge, que se ofereceu tão carinhosamente para a correção dos textos. E a todas as pessoas que, de alguma forma, fizeram com que este livro chegasse às suas mãos.

Muito obrigada a todos

Renilde Maria M. Barreto

Informações necessárias

Cozinhar, uma doação

Cozinhar é mais do que o simples preparo dos alimentos; é um momento de grande doação e de muito carinho. É importante que tenhamos plena consciência disso e nunca entremos na cozinha quando estivermos em desarmonia. Pois procedendo assim, estaremos envenenando, em primeiro lugar a nós mesmos e, depois, aos outros. A arte de cozinhar está muito ligada ao nosso estado de espírito.

A apresentação bela e harmônica dos alimentos faz bem aos olhos e à alma. Para fazer isso teremos que estar em paz. Também é importante saber o que deveremos fazer para que a nossa alimentação seja a mais equilibrada possível e, conseqüentemente, mais saudável. É um processo de reeducar o paladar para as coisas simples, mas isso não quer dizer que o simples não possa ser gostoso e belo.

Como escolher verduras e frutas

Devemos sempre preferir as frutas, verduras, hortaliças e leguminosas de pomares e hortas onde não são utilizados agrotóxicos e adubos químicos. As verduras, frutas e hortaliças pequenas são as melhores para o consumo, pois contêm uma maior quantidade de energia armazenada.

Se, no momento, isto não está sendo possível para a maioria das pessoas, então observe as verduras, frutas e hortaliças que algum bichinho andou visitando, pois é sinal de que a quantidade de inseticida utilizado não foi das maiores. O limão utilizado na lavagem desses alimentos ajuda na retirada do excesso de agrotóxico, pois é um detergente natural por excelência.

Corte dos vegetais

Depois de bem lavados, os vegetais devem ser cortados no sentido do comprimento, acompanhando sempre o trajeto da fibra, embora depois possam ser dados cortes transversais. Não se devem retirar as cascas de chuchu, cenoura, beterraba, abóbora, batata-doce, etc.

O local mais apropriado para o corte dos vegetais é sobre uma tábua de madeira, pois esta funciona como isolante para que não haja perda da energia vital contida nos alimentos.

Como refogar os alimentos

Os temperos que vão ser utilizados na preparação dos alimentos devem ser sempre refogados em um pouco de água e nunca em óleo. Se assim procedemos estamos fritando esses temperos e, conseqüentemente, saturando a gordura, o que torna os alimentos misturados a ela extremamente nocivos à saúde.

Utensílios

É importante também a escolha do tipo de panela a ser utilizada no preparo dos alimentos. Devemos dar preferência às de aço inoxidável, ágata, vidro, barro, ferro ou pedra. Não devemos utilizar as de *teflon* ou alumínio, já que estas eliminam substâncias tóxicas para os alimentos. A panela de pressão deve ser evitada pois destrói a energia vital dos alimentos cozidos nela.

No que se refere ao tipo de colher a ser utilizada para mexer os alimentos, a mais indicada é a de pau, pois não conduz calor mesmo sendo esquecida sobre a panela ainda quente.

As peneiras plásticas não devem ser utilizadas para escorrer a água do cozimento enquanto esta estiver quente para que o alcatrão, substância cancerígena contida nos plásticos, não passe para os alimentos.
Quanto à limpeza de panelas, louças e talheres, deve ser feita com o sabão de coco. Os detergentes contêm produtos químicos prejudiciais à nossa saúde, e eles permanecem nos utensílios mesmo após o enxágue.

Temperatura e apresentação dos alimentos

Devemos consumir os alimentos nem muito quentes nem muito frios, evitando sempre os extremos, para que não causem danos ao nosso organismo pelo choque térmico. Os alimentos ingeridos muito quentes podem provocar esofagite, gastrite, câncer de esôfago, da boca, etc. Os alimentos consumidos gelados podem provocar as gripes, rinites, faringites, etc.
A apresentação dos alimentos deve ser sempre harmoniosa e bela para estimular o apetite.

Combinações dos alimentos

Não combinam:

a) Açúcar, mel, melaço de cana, rapadura com frutas ácidas (limão, laranja, maracujá, abacaxi, cajá, caju, manga, goiaba, tangerina, acerola, tamarindo, etc.).

b) Frutas ácidas com amido (pães, biscoitos, macarrão, pastéis, bolos, arroz, pizzas, inhame, aipim (mandioca), inhaminho (cará), fruta-pão, etc.).

c) Melão com nenhum outro alimento, mesmo uma outra fruta.

d) Líquidos durante ou logo após as refeições.

e) Folhas cozidas (repolho, couve, acelga, espinafre, etc.), pois fermentam no nosso intestino produzindo grande quantidade de gases.

f) Dois tipos de amido numa mesma refeição (batata com macarrão, inhame com arroz, etc.).

Líquidos durante as refeições

Não devemos utilizar líquidos durante ou logo após as refeições, pois dificultam a digestão, diluindo o suco gástrico e as enzimas pancreáticas. Pior ainda se forem gelados, porque provocam a paralisação das funções gástricas. O que podemos utilizar após as refeições são os chás que ajudam no processo de digestão dos alimentos. Principalmente os chás hepáticos como carqueja, boldo, capeba, alcachofra, etc. Nunca utilizar chá-mate ou chá-preto, pois agridem o fígado.

O que substituir na nossa cozinha e por quê?

Açúcar refinado

Uma das principais causas das doenças que mais acometem a humanidade atualmente é este carboidrato concentrado chamado sacarose e vulgarmente conhecido como açúcar branco. Ele vem sendo largamente utilizado na fabricação de refrigerantes, bolos, geléias, pães, bombons, tortas, leite condensado, doces, etc. Devido a ausência de sais minerais na sua composição, durante o seu processo de metabolização ele retira o cálcio dos ossos, além de acidificar nosso sangue. Como conseqüência, teremos osteoporose, cárie dentária, depressão, obesidade, hipertensão arterial, arteriosclerose, diabete, predisposição ao câncer, etc.

O açúcar refinado, assim como qualquer outra droga, causa dependência e só através de um processo de conscientização e força de vontade é que poderemos tirá-lo radicalmente da nossa alimentação.

Mas, se tirarmos o açúcar branco, o que utilizaremos na nossa cozinha para substituí-lo?

Essa substituição será feita usando-se melaço de cana, açúcar mascavo, mel e rapadura. Mesmo o açúcar mascavo, que não sofreu todo esse processo de empobrecimento que o refinamento promove, também é açúcar e portanto deve ser utilizado com moderação. Deve-se sempre ter o cuidado de adquirir mel e melaço de cana com a qualidade e a procedência, sempre que possível, conhecidas, principalmente o mel de abelha que freqüentemente é misturado ao melaço de açúcar branco. Convém ressaltar que o mel de abelha puro cristaliza em baixa temperatura.

Farinha de trigo refinada

Assim como o açúcar branco, a farinha de trigo perde a maior parte do seu valor nutritivo com o processo de refinação, pois esse lhe tira o germe e o farelo, ficando ela só com a parte "sem vida" e transformada em carboidrato concentrado que se converterá em gordura dentro do nosso organismo.

A farinha de trigo branca é causa de prisão de ventre, asma, catarro pulmonar, obesidade, varizes, hipertensão arterial, hemorróidas, apendicite, diverticulose, câncer intestinal, etc.

Sendo assim, utilizemos a farinha de trigo integral que, por não passar por esse processo industrial, mantém todos os seus valores nutritivos.

Sal refinado

O sal refinado perde em torno de 80 elementos naturais que cedem lugar aos compostos químicos. Esse tipo de sal é causa de edema, hipertensão arterial, gastrite, doenças renais, etc.

Como alternativa temos o sal marinho que também deve ser usado com moderação.

Leite

Se bem observarmos, na natureza o único animal que se alimenta com leite após o desmame é o homem, e o que é pior: com leite de uma outra espécie.

O consumo de leite de vaca *in natura* causa fermentação intestinal intensa com produção de gases, catarro pulmonar, além de ser acidificante para o nosso organismo.

Como substituto usemos o iogurte natural fresco, de preferência feito em casa, pois se trata de um alimento alcalinizante e excelente para nossa flora intestinal.

Queijos

Os queijos curtidos tipo lanche, mussarela, gorgonzola, requeijão e tantos outros são ricos em gordura e produtos químicos e por isso mesmo bastante acidificantes para o nosso organismo. São a principal causa de corrimento vaginal, cisto de ovário, inflamações uterinas, cólicas menstruais.

Devemos dar preferência ao queijo ricota e queijo-de-minas frescal, pois são os mais simples, não contendo corantes nem conservantes, além do seu teor de gordura ser inferior ao dos demais queijos.

Manteiga e margarina

São prejudiciais à nossa saúde devido ao fato de possuírem grande teor de gordura saturada, sal refinado, corantes, conservantes, etc. Causam inúmeros danos à nossa saúde, tais como: obesidade, problemas circulatórios, aumento de colesterol, corrimento vaginal, hipertensão, etc. Se forem utilizadas em frituras, ou para refogar alimentos, o seu teor nocivo é duplicado. Substituamos a manteiga pelo patê de ricota, pasta de banana, cremes feitos com iogurte, etc.

Carnes

O nosso organismo necessita de proteínas, mas isso não quer dizer que tenhamos de consumir carne para obtê-las. Podemos obtê-las através da ingestão de alimentos saudáveis. As carnes têm alto teor de ácido úrico, colesterol, hormônios, antibióticos, vacinas, carrapaticidas, etc. São altamente acidificantes para o nosso organismo. Além do mais são de difícil digestão, pois levam em torno de 4 horas para serem digeridas. Provocam fermentação intestinal porque se trata da ingestão de um animal morto, que entrará em processo de putrefação no nosso intestino, provocando assim fermentação, liberação de toxinas, ácidos, etc. Isso também se tratando de aves, peixes e mariscos, que entram em processo de putrefação ainda mais rápido. O consumo de carne é causa de doenças como colite, diarréia, artrite, reumatismo, eczema, moléstias hepáticas, renais, displasia mamária, infertilidade, impotência sexual, puberdade precoce, câncer de mama, do útero, da próstata, de bexiga, dos rins, etc. Não podemos esquecer também das carnes embutidas: salsichas, lingüiças, salames, mortadelas, presuntos, etc. Nessas, além de todos os produtos tóxicos acima citados, são adicionados na sua fabricação conservantes, corantes, etc. As carnes tornam-se ainda mais cancerígenas quando assadas na brasa, devido a presença de uma substância tóxica, o benzo-3-4-pireno, presente na fuligem. Além de todas essas desvantagens que as carnes apresentam para a nossa saúde, existe também a questão moral, que é resumida muito bem neste trecho retirado do livro *Idéias em Perspectiva,* de Paul Brunton (Ed. Pensamento): "Momentos antes de um animal ser morto num abatedouro, ele se encontra cercado pelos gritos aterradores e pelas cenas amedrontadoras dos assassinatos passados, presentes e prestes a acontecer. Seu próprio pavor, então, permeia mentalmente o seu corpo de influências prejudiciais, enquanto o choque subseqüente de sua própria morte causa a passagem involuntária de um pouco de urina para o corpo. Esse ácido úrico é espalhado na carne pelo sangue e, então, permeia fisicamente o corpo de material venenoso... Os homens suplicam ao Senhor, com preces lamentosas, por ajuda compassiva ou perdão benevolente e, no entanto, nem por um momento pensam em terem, eles próprios, misericórdia para com as criaturas inocentes que são criadas e abatidas em seu proveito.

Uma vez que a matança de animais é realmente desnecessária ao homem, ela é um crime moral, uma vergonha antiga de nações inteiras, que os profetas e santos, videntes e instrutores têm censurado e contra a qual têm advertido. Pois, sob a Lei da Recompensa, os culpados — embora inconscientes — têm tido de sofrer punição. Se suas preces ao Poder Mais Alto, pedindo misericórdia, permanecem sem resposta, que se lembrem de como eles próprios não demonstraram nenhuma misericórdia."

As proteínas de que necessitamos são encontradas em alimentos saudáveis, tais como o iogurte e a castanha-do-pará, que têm proteínas completas, queijo-de-minas, ricota, ervilha, vagem, castanha de caju, feijão verde, pinha ou frutas-do-conde (ata), coco e também na maioria das frutas e verduras.

Os ovos

Os ovos consumidos atualmente pela maioria da população vêm de granjas que utilizam grandes quantidades de hormônios, antibióticos, vacinas, além de métodos artificiais para que as galinhas ponham seus ovos freqüentemente, sendo esses, assim, pobres em seu valor nutritivo. Os hormônios femininos utilizados pelas granjas são causa de distúrbios menstruais, infertilidade, impotência sexual, puberdade precoce, câncer de mama, próstata, útero, displasia mamária, etc. Os ovos, inclusive os de galinha caipira, são ricos em colesterol (principalmente a gema), possuem a tomaína (alcalóide) que agride o fígado, alergênicos que causam rinite, sinusite, asma, eczemas, reumatismo, etc.

Batata-inglesa

A batata-inglesa é um tubérculo muito utilizado na nossa culinária, o que não deveria acontecer. A batatinha não faz nenhum bem à nossa saúde pois, além de absorver grandes quantidades de agrotóxicos, contém altos teores de solanina, estricnina, nicotina e outras substâncias tóxicas, principalmente quando estão brotando ou com manchas esverdeadas.

Em seu lugar usemos o inhame, o aipim, o inhambu ou inhaminho (cará) que, além de serem muito gostosos, nutritivos e energéticos, não contêm venenos; ao contrário, purificam o nosso sangue, principalmente o inhame.

Leguminosas secas
(lentilha; ervilha; grão-de-bico; feijão: preto, branco, fradinho, mulatinho, carioquinha; soja)

As leguminosas têm grande valor nutritivo e são ricas em proteína. Mas, quando secas, não fazem bem ao nosso organismo pois se tornam acidificantes, de difícil digestão, produzem gases intestinais, sensação de peso no estômago, reumatismo, artritismo, problemas de pele, etc. Em sua substituição usemos as leguminosas frescas (feijão verde, ervilha fresca, vagem). O feijão andu e o mangalô, mesmo verdes, devido a presença de ácidos na película que envolve o grão, são acidificantes, tornando necessária a retirada dessa película para o consumo.

Café e chocolate

Tanto o café como o chocolate trazem grandes prejuízos para o nosso organismo devido a presença da cafeína e da teobromina, alcalóides presentes nos respectivos alimentos. O hábito social de tomar café traz grandes danos ao organismo pois, além do seu efeito tóxico, ele vem sempre acompanhado de açúcar refinado, adoçantes artificiais e quando não, servido em copinhos descartáveis que aumentam mais ainda o seu teor nocivo, pois o material plástico de que é feito o copo, quando aquecido, libera uma substância bastante cancerígena que é o alcatrão. Esses alimentos provocam insônia, dor de cabeça, irritabilidade, palpitações, gastrite, impotência sexual e outros. O chocolate é a principal causa das amigdalites e faringites.

Substituamos o café e o chocolate pelos chás, sucos de frutas, etc.

Receitas

Saladas

As saladas cruas são indispensáveis na nossa alimentação diária pois se trata de uma fonte muito rica em vitaminas e sais minerais, constituindo-se em poderoso alcalinizante para o nosso organismo, além de serem ricas em fibras que promovem um bom funcionamento do intestino.

Cuidados necessários

a) *Com as folhas:* Lavá-las uma a uma em água corrente, depois colocá-las na água com limão numa proporção de 1 litro d'água para 2 colheres de sopa de sumo de limão, durante 30 minutos aproximadamente.

b) *Com as raízes:* Lavá-las com uma escovinha macia e sabão de coco, enxaguar em água corrente e, em seguida, colocá-las na água com limão. Não se faz necessário a retirada das cascas, portadoras de vitaminas e sais minerais.

Variações

- Alface, repolho roxo (cru) e cenoura.
- Acelga, alface e cenoura.
- Alface, pepino com casca, couve e cenoura.
- Acelga, couve e beterraba ralada.
- Alface, agrião e cenoura ralada.
- Alface, cenoura, maçã e chuchu ralados.

Temperos:

Temperos: Água, sal, um pouco de limão, podendo também ser utilizado orégano, manjericão, manjerona, coentro, salsa, cebola, alho (socado), cebolinha, etc.

Salada no vapor

2 chuchus
2 cenouras
Vagem em quantidade proporcional à da cenoura e do chuchu após cortados
Ervilhas frescas na mesma proporção da vagem

Preparo

Corte as verduras primeiro no sentido das fibras, ou seja, no comprimento. Em seguida em sentido contrário, ficando assim reduzidas a pequenos pedaços. Procurar sempre cortar os pedaços do mesmo tamanho. Coloque as verduras no cuscuzeiro da seguinte forma: primeiro a vagem, depois a cenoura, o chuchu e, por último, as ervilhas. Cozinhe em fogo brando. Depois de cozidas, já com o fogo desligado, ainda quentes, transfira para outro recipiente e tempere com bastante coentro ou salsa, cebolinha, cebola, pimentão vermelho, todos cortados bem miudinho, sal e um fio de azeite de oliva. Abafe para que o sabor dos temperos seja absorvido. A água do cozimento, rica em sais minerais, pode ser aproveitada no preparo de outros pratos como sopas, arroz, etc.

Salada de feijão verde ou ervilha fresca

3 xícaras de feijão verde (ou ervilha fresca) catado e lavado
1 xícara de coentro picado ou salsa
1 cebola média
1/2 pimentão vermelho pequeno
1/2 xícara de cebolinha picada
Sal a gosto

Preparo

Quando a água começar a ferver, coloque o sal e o feijão, (ou ervilha fresca). Deixe cozinhar, mas tendo o cuidado para que não fique muito mole. Escorra a água e reserve. Quando o feijão estiver frio, acrescente todos os temperos cortados bem miudinho, azeite de oliva e, na hora de servir, coloque um pouco de água com gotinhas de limão.

Tabule

2 xícaras de trigo para quibe
3 xícaras de água morna
1/2 pimentão vermelho pequeno
Folhas de hortelã
4 folhas de acelga cortadas em tiras bem finas
5 folhas de couve cortadas em tiras bem finas
1 cenoura crua ou 1 abobrinha crua ralada em ralo grosso
1 maçã vermelha com casca cortada em cubos
5 folhas de alface cortadas em tiras bem finas

Preparo

Ponha o trigo de molho com as 3 xícaras de água morna durante 30 minutos. Pique todos os temperos, depois de bem lavados. Comprima o trigo com as mãos para que saia todo o excesso de água e, em seguida, misture com a cenoura ou abobrinha, os temperos, as folhas e a maçã picada. Regue com uma mistura feita com água, gotas de limão e sal a gosto. Coloque um pouco de azeite de oliva sobre a salada.

Pratos quentes

Abobrinhas recheadas

5 abobrinhas
1 1/2 xícara de coentro (ou salsa) picado
1 xícara de cebolinha picada
1 cebola média
1/2 pimentão vermelho médio
1 xícara de arroz integral cozido
Sal a gosto

Preparo

Corte as abobrinhas de comprido e ponha para cozinhar em água com sal. Não deixe que fiquem muito cozidas, pois ainda irão ao forno. Com uma colher, retire os miolos das abobrinhas, tendo cuidado para não ferir as cascas. Corte todos os temperos miudinho e refogue em um pouco de água. Em seguida, acrescente os miolos cortados, mexa um pouco e desligue o fogo. Acrescente a este refogado uma xícara de arroz integral cozido. Caso queira, poderá colocar uma xícara de ricota amassada e azeitonas pretas picadas. Recheie as abobrinhas com essa mistura e leve-as ao forno para assar em uma fôrma untada com óleo de milho e polvilhada com farinha de trigo integral.

Abobrinhas refogadas

1/2 kg de abobrinhas
1/2 pimentão vermelho médio
1 cebola média
1 xícara de coentro (ou salsa) picado
1/2 xícara de cebolinha picada
1 dente de alho
2 colheres de sopa de purê de tomate (vide receita)
Orégano
Sal a gosto
Azeitonas pretas (opcional)

Preparo

Lave bastante as abobrinhas, não sendo necessário a retirada das cascas. Corte-as em cubos e reserve. Pique todos os temperos bem miudinho. Refogue-os em um pouco de água morna e orégano. Acrescente as abobrinhas, abafe e deixe cozinhar em fogo brando, mexendo sempre, até ficarem bem macias.

Almôndegas de arroz integral com castanhas

3 a 4 xícaras de arroz integral cozido
1/2 xícara de castanha de caju moída
6 colheres de sopa de farinha de trigo integral
1 colher de sobremesa rasa de óleo de milho
1 cenoura média ralada em ralo fino
1 xícara de coentro (ou salsa) picado
Sal a gosto
1 xícara de cebolinha picada
1 cebola média
1/2 pimentão vermelho médio

Preparo

Passe o arroz e as castanhas na máquina de moer carne e junte aos temperos (que deverão estar cortados bem miúdo), ao óleo e à farinha de trigo integral. Misture tudo. Modele as almôndegas em tamanho pequeno e passe-as em farinha de trigo integral peneirada. Coloque-as em assadeira untada com óleo de milho e polvilhada com farinha de trigo integral. Asse em forno quente. Sirva com molho de tomate salpicado de orégano.

Andu (feijão guandu)

1 kg de andu ou a quantidade suficiente para a refeição
1 dente de alho
1 folha de louro
1 xícara de cebolinha picada
1 xícara de coentro picado
1/2 pimentão vermelho
1 cebola média picada
Sal a gosto

Preparo

Cate e lave o andu. Antes do cozimento, escalde o andu, ou seja, despreze a água usada na primeira fervura. Em seguida, refogue todos os temperos, cortados bem miudinho, em um pouco de água morna. Coloque o andu, abafe e deixe cozinhar. Depois de cozido, com o fogo já desligado, regue com um fio de azeite de oliva. Não deverá voltar ao fogo.

O andu não deve ser consumido por pessoas que tenham reumatismo, problemas de pele ou estejam com alguma infecção, devido ao seu poder acidificante.

Arroz temperado

2 xícaras de arroz integral devidamente catado e lavado
5 xícaras de água morna
Sal marinho a gosto
1/2 xícara de coentro ou salsa
1 cebola pequena
1/2 xícara de cebolinha
1/2 pimentão vermelho pequeno
1/2 chuchu grande cortado bem miudinho
1 cenoura pequena cortada bem miudinha
Passas a gosto

Preparo

Refogue os temperos (cortados bem miudinho) em um pouco de água e, em seguida, coloque o arroz e o restante da água morna e deixe cozinhar em fogo brando. Cozinhe no vapor o chuchu e a cenoura picados. Quando o arroz estiver quase cozido, misture a cenoura, o chuchu e as passas.

Arroz com cenoura

2 xícaras de arroz integral catado e lavado
5 xícaras de água morna
1 cenoura média ralada em ralo fino
Sal marinho a gosto
1 cebola pequena picada

Preparo

Em uma panela, coloque a cenoura ralada, a cebola, o sal e o arroz. Refogue em um pouco de água. Após refogar, coloque o restante da água morna, baixe o fogo e deixe cozinhar. Evite mexer o arroz para que não grude.

Baião-de-dois

2 xícaras de feijão verde
1 xícara de arroz (Obs.: Obedecer sempre a essa proporção)
1 cebola grande picada
1/2 pimentão vermelho picado
1/2 xícara de cebolinha picada
Sal marinho a gosto
1 folha de louro
1/2 xícara de hortelã picada

Preparo

Em uma panela ponha a água para o cozimento do feijão, que não deverá ser muita. Quando abrir fervura, coloque a folha de louro, o sal e o feijão. Abafe. Quando o feijão começar a amolecer, ponha o arroz, juntamente com os temperos picados bem miudinho, abafando e deixando cozinhar. Coloque água morna, em pouca quantidade, sempre que necessário. Tem que ficar bem sequinho. Desligado o fogo, coloque um fio de azeite de oliva, mais ou menos meia xícara de coentro picado e queijo-de-minas frescal cortado em cubos. Misture e sirva.

Bolinho de aipim

4 xícaras de aipim cozido passado na máquina
1 xícara de queijo-de-minas frescal passado na máquina
Sal a gosto
1 colher de chá de fermento biológico fresco
2 colheres de sopa de água morna
Azeitonas pretas (o suficiente)

Preparo

Coloque o fermento para crescer com as 2 colheres de sopa de água morna. Passe o aipim na máquina, coloque o sal e o queijo-de-minas já passado na máquina, e, por último, o fermento já crescido. Modele os bolinhos e recheie com pedaços de azeitona preta. Asse em assadeira untada com óleo de milho e polvilhada com farinha de trigo integral.

Bolinho de arroz

Sobras de arroz
Coentro ou salsa (o suficiente)
Cebolinha (o suficiente)
Pimentão vermelho (o suficiente)
Cebola (o suficiente)
Azeitonas pretas picadas e bem lavadas (para a retirada do sal refinado)
1 colher de sobremesa de óleo de milho

Preparo

Passe o arroz na máquina de moer carne. Depois, coloque os temperos cortados bem miudinho, a azeitona e o óleo. Misture tudo, experimente o sal e forme os bolinhos. Ponha-os em assadeira untada com óleo de milho e polvilhada com farinha de trigo integral. Asse em forno quente.

Caruru

3 dúzias de quiabos bem verdinhos
3 cebolas grandes
3 xícaras de coentro picado
3 xícaras de cebolinha picada
1/2 xícara de castanha de caju
1/2 pimentão vermelho
Sal a gosto
1 colher de café rasa de gengibre ralado
5 colheres de sopa de azeite-de-dendê

Preparo

Lave os quiabos, corte-os bem miúdo e reserve. Bata no liquidificador os temperos e as castanhas com um pouco de água e reserve. Coloque em uma panela os quiabos com o sal, um pouco de água e deixe cozinhar por alguns instantes. Depois, acrescente os temperos e o gengibre ralado. Mexa sempre para não pegar no fundo da panela. Se quiser cortar a baba do quiabo, coloque algumas gotas de suco de limão. Quando as sementes dos quiabos escurecerem é sinal de que eles estão cozidos. Quando desligar o fogo, coloque o dendê, ou então leve-o para a mesa e sirva em cada prato, individualmente.

Couve-flor ao forno

1 couve-flor média
Molho de tomate
Queijo-de-minas
Orégano

Preparo

Separar a couve-flor em buquezinhos, lavar em água corrente, cozinhar no vapor, não deixando ficar muito mole. Enquanto a couve-flor estiver cozinhando, preparar o molho de tomate da seguinte forma: 6 a 8 tomates bem maduros, lavados e sem as sementes; 3 cebolas; sal; 3 colheres de sopa de extrato de tomate caseiro (vide receita na pág. 151); 1 1/2 xícara de água. Cozinhe em fogo brando. Depois de cozido, bata no liquidificador. Reserve.

Arrumação

Em uma fôrma refratária, untada com óleo de milho (utilizar um pincel para que não fique com excesso de óleo), coloque um pouco de molho de tomate, em seguida a couve-flor, mais molho, e, por último, o queijo-de-minas ralado e o orégano. Leve ao forno quente para gratinar.

Cozido

1 ou 2 chuchus
2 bananas-da-terra
6 quiabos
3 maxixes
1 pedaço de abóbora (o suficiente que sobre também para o pirão)
2 jilós
1 pedaço de inhame ou aipim ou batata-doce
1 1/2 xícara de farinha de mandioca

Tempero

1 pimentão vermelho médio
1 cebola média
1 1/2 xícara de coentro picado
1 xícara de cebolinha picada
2 folhas de louro
Sal a gosto
Purê de tomate (o suficiente, vide receita na pág. 151)

Preparo

Lave, corte todos os temperos e refogue em um pouco de água com folhas de louro, purê de tomate e sal a gosto. Depois, coloque os legumes começando pelos que são mais duros: o inhame, o aipim ou a batata-doce, etc. Acrescente água morna aos poucos sempre que necessário. Diminua a chama do fogo, abafe a panela e deixe cozinhar. Quando os legumes estiverem cozidos, retire-os da panela e reserve o caldo para fazer o pirão. Coloque a farinha de mandioca em 3 xícaras de água. Amasse com um garfo um pedaço de abóbora (não precisa ser grande), e coloque no caldo em que será feito o pirão para que este ganhe um colorido mais bonito. Em seguida, adicione a farinha de mandioca misturando sempre com uma colher de pau para não embolar. Leve ao fogo mexendo sempre até cozinhar. Depois de desligado o fogo, regue com um pouco de azeite de oliva (opcional).

Croquete de milho verde

6 espigas de milho verde
7 colheres de farinha de trigo integral
1 colher de sopa de azeitonas pretas picadas e bem lavadas
1 cebola média picada
1 xícara de coentro (ou salsa) picado
1/2 xícara de cebolinha picada
1/2 pimentão vermelho picado
Sal a gosto
1 xícara não muito cheia de ricota amassada com um garfo

Preparo

Depois de bem lavados, corte todos os temperos bem miudinho e refogue em um pouco de água com sal a gosto. Retire os grãos das espigas com o auxílio de uma faca, ou seja, cortando rente ao sabugo. Em seguida, bata-os no liquidificador com uma xícara de água. Caso as espigas sejam grandes, aumente um pouco a quantidade de água. Mas é importante não usar muita água, apenas o suficiente para que fique bem pastoso. Acrescente o milho já batido ao refogado que deverá estar com o fogo desligado. Misture tudo, acrescente a farinha de trigo e leve ao fogo mexendo sempre para não embolar e até que comece a soltar do fundo da panela. Desligue o fogo, acrescente a ricota e as azeitonas. Espere esfriar e depois modele a massa em forma de croquetes, molhando sempre as mãos com água gelada misturada com algumas gotas de *shoyo*. Coloque os croquetes em fôrma untada e polvilhada. Asse em forno quente.

*Empanada de palmito**

3 copos americanos de farinha de trigo integral peneirada
1 copo de iogurte fresco (200 ml)
2 colheres de sopa de fermento biológico fresco
1 colher de sopa de açúcar mascavo
1/2 xícara de água morna
1 colher de chá de sal marinho
2 colheres de sopa de óleo de milho

Recheio

2 1/2 xícaras de palmito fresco ou um vidro de palmito em conserva
2 xícaras de ervilhas frescas ou chuchu cortado em cubos
1/2 pimentão médio
1 xícara de coentro (ou salsa) picado
1 xícara de cebolinha picada
1 cebola média picada
Sal a gosto
Azeitona preta a gosto
Molho de tomate (vide receita na pág. 150)

Preparo

Ponha o fermento para crescer com uma colher de sopa de açúcar mascavo e meia xícara de água morna. Numa tigela, coloque a farinha, o iogurte, o sal, o óleo e o fermento já crescido.

---

* Empanada é uma espécie de torta.

Misture tudo. Caso a massa não fique homogênea, como se fosse massa de pão, acrescente aos poucos água morna até que não grude mais nas mãos. Trabalhe um pouco a massa, mas sem sovar. Deixe descansar em um local abafado por 30 minutos. Enquanto isso prepare o recheio. O palmito, sendo fresco, será cozido em água e sal, já cortado em pedaços não muito grandes. Caso seja o de conserva, lave bastante para retirar o sal refinado. Lave em água com limão a ervilha fresca e cozinhe no vapor. Na falta de ervilha fresca, substitua por chuchu picadinho e cozido no vapor. Corte todos os temperos bem miudinho, refogue com um pouco de água e deixe cozinhar em fogo brando. Tem que ficar com pouquíssima água. Depois de cozido, desligue o fogo e acrescente o palmito, a ervilha ou o chuchu e as azeitonas. Experimente o sal e coloque o molho de tomate que deverá ser grosso. Misture tudo e reserve. Abra a metade da massa em uma superfície plana, polvilhada com farinha de trigo integral, com o auxílio de um rolo. Coloque numa assadeira untada, deixando que o excesso da massa caía sobre as bordas da assadeira. Espalhe o recheio sobre toda a massa. Feche com o resto da massa e deixe descansar por 15 minutos. Antes de levar ao forno, pincele a superfície com uma mistura de água e *shoyo*. Asse em forno quente.

Ensopado de abóbora com quiabo

1 dúzia de quiabos cortados em rodelas não muito grossas
250 g de abóbora
1 xícara de coentro (ou salsa) picado
1 xícara de cebolinha picada
1/2 pimentão vermelho médio
1 cebola média
1 folha de louro
Sal a gosto

Preparo

Corte todos os temperos bem miudinho e refogue em um pouco de água com sal. Coloque os quiabos, cozinhe um pouco, e depois junte a abóbora. Acrescente um pouco de água morna sempre que necessário. Abafe para terminar o cozimento.

Ensopado de vagem com abóbora

Vagens picadas na mesma proporção da abóbora depois de picada
250 g de abóbora picada em pequenos cubos
1 cebola média
1/2 xícara de cebolinha picada
1 xícara de coentro (ou salsa) picado
1/2 pimentão vermelho pequeno
Sal a gosto

Preparo

Corte todos os temperos bem miudinho e coloque sal a gosto. Refogue em um pouco de água morna. Acrescente as vagens picadinhas e deixe cozinhar um pouco. Depois, coloque a abóbora, abafe e deixe cozinhar em fogo brando. Na hora de servir, coloque um fio de azeite de oliva (opcional).

Feijão verde

Feijão verde
Folha de louro
Hortelã
Cebola
Pimentão vermelho
Cebolinha
Alho

Preparo

Coloque a água no fogo para ferver. Quando estiver fervendo, acrescente o feijão, a folha de louro, o sal e deixe cozinhar em fogo brando. Quando estiver quase cozido, acrescente os temperos cortados bem miudinho, deixe cozinhar até que seque boa parte da água, ficando o feijão com pouco caldo. Na hora de servir, já com o fogo desligado, pode-se acrescentar um fio de azeite de oliva. Depois de colocado o azeite, não leve novamente o feijão ao fogo para não saturar a gordura. Caso não vá se consumir toda a porção preparada, coloque o azeite somente na porção a ser servida.

*Feijão verde com dendê**

Feijão verde
Folha de louro
Hortelã
Cebola
Pimentão vermelho
Cebolinha
Alho
Azeite-de-dendê

Preparo

Com relação ao cozimento proceda da mesma forma que foi ensinada na receita de *Feijão verde* (pág. 55). O feijão deverá ficar bem sequinho. Quando desligar o fogo, coloque um pouco de azeite-de-dendê na panela ou nas porções individuais a serem servidas. Depois de colocado o dendê, não torne a pôr o feijão no fogo.

---

* Não dispondo de feijão verde, poderá ser utilizada a ervilha fresca, substituindo a hortelã por salsa ou coentro e o azeite-de-dendê por azeite de oliva.

Feijoada de legumes

Feijão verde
1 folha de louro
1/2 pimentão vermelho médio picado
Hortelã (o suficiente)
Cebolinha (o suficiente)
1 cebola média
1 dente de alho picado
Sal a gosto
Cenoura, maxixe, abóbora, chuchu, quiabo e banana-da-terra a gosto (Obs.: a abóbora e o chuchu poderão ser utilizados com as respectivas cascas)

Preparo

Cozinhe o feijão como foi ensinado na receita de *Feijão verde* (pág. 55). Quando o feijão começar a amolecer, vá pondo os legumes, primeiro os mais duros e, neste caso, começando pela cenoura. Somente não deve ser cozida junto com o feijão a banana-da-terra, para que não predomine o seu sabor adocicado. Devemos acrescentá-la depois de cozida.

Frigideira de chuchu

3 a 4 chuchus grandes
1 cebola média
1/2 pimentão vermelho médio
1 1/2 xícara de coentro picado
1 xícara de cebolinha picada
3 colheres de sopa de purê de tomate caseiro (vide receita na pág. 151)
1 xícara de coco ralado
Sal a gosto
2 colheres de sopa bem cheias de araruta

Preparo

Lave e corte todos os temperos bem miudinho, coloque o sal e refogue em um pouco de água morna. Em seguida, coloque os chuchus cortados, com as cascas e as sementes, em cubos pequenos e harmônicos. Abafe e deixe cozinhar em fogo brando até que fiquem cozidos e secos. Já com o fogo desligado, ponha o coco ralado e a araruta que não deverá ser diluída em água. Misture tudo e despeje em uma fôrma untada com óleo de milho. Leve ao forno para gratinar. Depois de pronto, regue com um pouco de azeite de oliva.

Lasanha de palmito

1 pacote de massa integral para lasanha
Sal a gosto
Palmitos frescos ou um vidro com palmitos em conserva
Molho de tomate (vide receita na pág. 150)
Orégano
Queijo-de-minas frescal ou ricota

Preparo

Cozinhe a massa de lasanha em água fervente com sal. Não se faz necessário o uso de óleo; apenas mexa de vez em quando para não pegar no fundo da panela. Não deixe que a massa fique muito mole. Depois de cozida, escorra e lave bastante em água corrente.

Prepare o molho de tomate. Após lavar os palmitos em conserva por várias vezes em água corrente para retirar o sal refinado, corte-os em pequenos pedaços.

Arrumação

Arrume a lasanha numa fôrma refratária untada com óleo de milho, intercalando camadas de macarrão, palmito, queijo-de-minas frescal ralado em tiras, molho de tomate e orégano. Termine com uma camada de queijo e molho de tomate. Leve ao forno quente por alguns minutos para gratinar. Sirva quente.

Lasanha de manjericão e ervilhas verdes

Massa integral para lasanha
Molho de tomate (vide receita na pág. 150)
Ervilhas frescas
Manjericão
Queijo-de-minas frescal ou ricota

Preparo

Cozinhe a massa de lasanha da maneira como foi ensinada na receita de *Lasanha de palmito* (pág. 59). Prepare o molho de tomate e, depois de batido no liquidificador, acrescente o manjericão. Lave as ervilhas em água com limão e cozinhe-as em água com sal marinho. Depois de cozidas, escorra e reserve.

Arrumação

Em uma fôrma refratária, untada com óleo de milho, coloque o molho de tomate, a massa de lasanha, as ervilhas, o queijo-de-minas frescal ralado ou a ricota, mais o molho de tomate e o orégano. A última camada será de queijo, molho e orégano. Coloque no forno quente para gratinar. Sirva quente.

Macarrão com abóbora

1 pacote com 500 g de macarrão integral
5 tomates maduros
2 cebolas médias
1 xícara de cebolinha picada
1/2 xícara de salsa picada
1 xícara com abóbora cozida e amassada
Sal a gosto

Preparo

Cozinhe o macarrão da mesma maneira que a ensinada na receita de *Lasanha de palmito* (pág. 59). Faça um molho com tomates bem maduros, cebola, cebolinha, salsa e sal marinho a gosto. Depois de cozido, bata o molho no liquidificador e acrescente a abóbora cozida no vapor e amassada com um garfo. Misture ao macarrão e sirva quente.

Macarrão com manjericão

1 pacote com 500 g de macarrão integral
Molho de tomate (vide receita na pág. 150)
Manjericão
Sal marinho

Preparo

Coloque a água no fogo e, quando começar a ferver, ponha o sal e o macarrão. Cozinhe em fogo brando, mexendo sempre para não pegar no fundo da panela. Depois de cozido, escorra e lave-o bastante. Faça o molho de tomate e, após batê-lo no liquidificador, acrescente o manjericão e, se quiser, algumas azeitonas pretas, bem lavadas para retirar o sal refinado. Misture esse molho ao macarrão e sirva ainda quente.

Macarrão parafuso com legumes

1 pacote de 500 g de macarrão parafuso integral
2 cenouras raladas
1 chuchu
Vagem na mesma proporção das cenouras raladas
1 xícara de ervilhas frescas
Molho de tomate (vide receita na pág. 150)
Orégano
Queijo-de-minas (opcional)
Shoyo (opcional)

Preparo

Pique os legumes em pedaços pequenos e coloque para cozinhar no vapor, obedecendo à seguinte ordem: vagem, cenoura, chuchu e ervilha. Cozinhe o macarrão em água e sal. Escorra-o, lave-o bastante e acrescente os legumes cozidos, o molho de tomate, o *shoyo* e o orégano. Misture tudo e leve ao fogo para aquecer. Caso queira, polvilhe queijo-de-minas ralado na hora de servir.

Maxixada

2 dúzias de maxixe
2 cebolas médias picadas
1/2 pimentão vermelho médio picado
1 1/2 xícara de coentro picado
Sal a gosto
1/2 xícara de leite de coco
1 xícara de café de castanhas de caju trituradas no liquidificador

Preparo

Lave bem os maxixes, depois corte-os em quatro partes, no sentido do comprimento e reserve.

Pique os temperos bem miudinho e refogue em um pouco de água. Feito isto, acrescente os maxixes e deixe-os cozinhar. Depois de cozidos, já com o fogo desligado, acrescente o leite de coco e a castanha.

Nhoque de abóbora

1/2 kg de abóbora
Sal marinho a gosto
2 colheres de sopa de óleo de milho
Farinha de trigo integral (o suficiente)

Molho

6 a 8 tomates maduros
2 cebolas médias

Preparo

Cozinhe a abóbora no vapor, depois amasse-a com um garfo, coloque sal, óleo e farinha de trigo integral (o suficiente para dar o ponto).

Em uma superfície lisa, polvilhada com farinha de trigo integral, faça cordões com a massa e corte-os no sentido transversal. Ponha-os para cozinhar em água quente, com uma pitada de sal, até que venham à tona. Faça uma experiência utilizando apenas um pedaço da massa; caso se desmanche na água, acrescente mais farinha de trigo integral. Sirva com molho de tomate e orégano.

Purê de abóbora

500 g de abóbora
Sal marinho a gosto
1/2 xícara de coentro (ou salsa) picado
1/2 pimentão vermelho pequeno
1 cebola pequena picada
1/2 xícara de cebolinha picada

Preparo

Quando a água estiver fervendo, coloque a abóbora e o sal. Depois dela cozida, e ainda quente, amasse com um garfo e reserve. Corte todos os temperos bem miudinho e refogue com um pouco da água do cozimento da abóbora. Abafe e deixe cozinhar um pouco. Em seguida, acrescente a abóbora e desligue o fogo. Pode-se colocar um pouco de azeite de oliva, caso não vá retornar ao fogo.

Purê de inhame

750 g de inhame
Sal marinho a gosto
1 xícara de cebolinha picada
Orégano
Azeite de oliva

Preparo

Quando a água estiver fervendo, coloque o inhame e o sal. Depois de cozido, amasse com um garfo ou passe no espremedor ainda quente. Verifique o sal, acrescente a cebola picadinha, o orégano e um fio de azeite de oliva. Deixe abafado até a hora de servir.

Quiabada

2 dúzias de quiabos
1 folha de louro
1 xícara de coentro picado
1/2 xícara de cebolinha picada
2 cebolas médias
Sal a gosto
2 colheres de sopa de azeite-de-dendê
1/2 pimentão vermelho

Preparo

Lave os quiabos e retire as pontas. Corte-os em rodelas finas. Numa panela, coloque os temperos cortados miudinho, o sal, a folha de louro e refogue com um pouco de água. Depois, coloque os quiabos, abaixe o fogo e abafe. Na hora que for servir, coloque o azeite-de-dendê.

O azeite-de-dendê poderá ir para a mesa e ser colocado nos pratos, individualmente.

Quibe de forno com cenoura e ricota

1/2 kg de trigo para quibe
1 xícara de cenoura
1 xícara de ricota
1 xícara de hortelã picada
1 cebola média ralada
1/2 pimentão vermelho médio
1/2 xícara de cebolinha
Sal a gosto

Preparo

Ponha o trigo de molho em água morna, sendo a quantidade de água o suficiente para cobri-lo. Deixar de molho por uns 15 minutos. Lave os temperos, corte bem miudinho e refogue com um pouco de água. Cozinhe em fogo brando. Comprima o trigo, que estava de molho, com as duas mãos para retirar o excesso de água. Misture todos os ingredientes, inclusive a ricota, que deverá ter sido amassada com um garfo, e experimente o sal. Ponha a massa em um refratário que deverá estar untado com óleo de milho. Asse em forno quente. Tire do forno e pincele com uma mistura de água com gotas de *shoyo,* ou simplesmente água. Depois que a água for absorvida, regue com um pouco de azeite de oliva (opcional).

Torta de cenoura com ricota

2 colheres de sopa rasas de fermento biológico fresco
1 colher de sopa de açúcar mascavo
1/2 xícara de água morna
2 copos de farinha de trigo integral
2 colheres de sopa de óleo de milho
1 colher de café rasa de sal marinho
Água morna (suficiente para dar ponto à massa)

Recheio

4 a 5 cenouras grandes raladas no ralo grosso
1 1/2 xícara de coentro (ou salsa) picado
1 xícara de cebolinha picada
1 cebola média
1/2 pimentão vermelho
Sal marinho a gosto
1 xícara de ricota amassada
6 azeitonas pretas picadas

Preparo

Em primeiro lugar, coloque o fermento para crescer da seguinte maneira: ponha num recipiente o fermento, uma colher de sopa de açúcar mascavo e meia xícara de água morna. Espere crescer. Em outro recipiente, ponha a farinha, o óleo, o sal, o fermento, que já deverá ter crescido, e água morna aos poucos, até que a massa solte das mãos. Trabalhe um pouco a massa, mas sem sová-la. Deixe-a descansar em um lugar abafado por uns 30 minutos. Enquanto isso, prepare o recheio procedendo assim: corte os temperos bem miudinho e rale a cenoura em um ralo grosso. Refogue os temperos em um pouco de água e depois coloque a cenoura. O recheio tem que ficar bem seco e a cenoura não pode ficar muito mole.

Depois de cozido, já com o fogo desligado, coloque as azeitonas picadas e a ricota amassada com um garfo. Misture tudo e reserve.

Arrumação

Abra a massa. Numa fôrma refratária, untada com óleo de milho, forre o fundo e as laterais com a massa e coloque o recheio. Com as sobras da massa faça cordões e trance-os sobre a torta. Ponha no forno quente para assar. Quando retirar do forno, pincele os cordões da massa com uma mistura de *shoyo* e água.

Chuchu ao forno

3 a 4 chuchus grandes
1 xícara de coentro picado
1 xícara de cebolinha picada
1 cebola média
1/2 pimentão vermelho médio
Sal a gosto
Queijo-de-minas frescal ralado
Purê de tomate (vide receita na pág. 151)
Orégano

Preparo

Lave bem todos os temperos, corte bem miudinho e refogue em um pouco de água morna. Acrescente os chuchus cortados em pequenos cubos, abafe e deixe cozinhar até que fiquem bem secos.

Unte uma fôrma refratária, pincelando-a com óleo de milho, coloque o chuchu, o purê e, por cima, o queijo-de-minas frescal ralado, ou ricota temperada com sal, e o orégano. Leve ao forno para gratinar.

Delícia de legumes e milho verde

2 chuchus grandes
2 cenouras
Vagem em quantidade proporcional à do chuchu e da cenoura depois de picados
1 abobrinha grande picada com casca e sementes
3 espigas de milho bem verdinhas
1 1/2 xícara de coentro (ou salsa) picado
1 xícara de cebolinha picada
1 cebola grande
1/2 pimentão vermelho pequeno picado
2 colheres de sopa de purê de tomate (vide receita na pág. 151)

Preparo

Corte todos os temperos bem miudinho, isso depois de devidamente lavados. Refogue em um pouco de água morna misturada com o purê de tomate. Em seguida, coloque os legumes lavados e bem picadinhos para cozinhar, vindo em primeiro lugar o que for mais duro que, aqui, é a vagem; deixe cozinhar um pouco, depois acrescente a cenoura, o chuchu e, por último, a abobrinha. Deixe cozinhar em fogo brando até que fique bem seco. Reserve.

Debulhe o milho, usando uma faca no sentido vertical. Bata o milho no liquidificador com uma xícara bem cheia de água e leve ao fogo até que se tenha um mingau. Depois dele pronto, já com o fogo desligado, acrescente os legumes cozidos. Misture tudo, coloque numa assadeira untada com óleo de milho e alise a superfície com uma colher. Leve ao forno quente para gratinar.

Vagem com ricota

1/2 kg de vagem
1 xícara de coentro (ou salsa) picado
1/2 xícara de cebolinha picada
1/2 pimentão vermelho médio
1 cebola média
Sal a gosto
3 colheres de sopa de purê de tomate (vide receita na pág. 151)
1 xícara de ricota amassada com um garfo

Preparo

Lave bem os temperos, corte-os bem miudinho e reserve. Depois de bem lavadas as vagens, corte-as em pequenos pedaços no sentido transversal. Numa panela, ponha os temperos, o sal e o purê de tomate. Refogue com um pouco de água, mexendo sempre. Depois, acrescente as vagens picadas e um pouco de água quente (o suficiente para o cozimento). Abafe, diminua a chama do fogo e deixe cozinhar. Depois de cozido, deverá ficar com pouquíssimo caldo. Desligue o fogo e acrescente a ricota. Na hora de servir, regue com um pouco de azeite de oliva (opcional).

Vatapá de abóbora

1/2 kg de abóbora
1 copo americano de farinha de mandioca bem fina
2 cebolas grandes
3 xícaras de coentro picado
3 xícaras de cebolinha picada
1/2 xícara de castanha de caju
1 colher de café de gengibre ralado
1/2 xícara de leite de coco
Sal a gosto
Um pouco de azeite-de-dendê

Preparo

Ponha a farinha de mandioca de molho em 2 copos de água, colocando primeiro a água e depois a farinha. Cozinhe a abóbora no vapor e amasse com um garfo. Numa panela, ponha a abóbora, o sal e a farinha. Misture com a água utilizada para o cozimento da abóbora, já fria, aos poucos, até que fique um mingau. Ponha para cozinhar, mexendo sempre para que não pegue no fundo da panela. Depois, acrescente os temperos batidos no liquidificador com um pouco de água, a castanha e o gengibre. Deixe cozinhar mais um pouco, mexendo sempre. Depois de desligar o fogo, coloque o azeite-de-dendê e o leite de coco.

Vatapá de pão

1/2 kg de pão integral amanhecido
3 a 4 cebolas médias
1/2 xícara de castanha de caju
3 xícaras de coentro picado
3 xícaras de cebolinha picada
1 colher de café rasa de gengibre ralado
Sal a gosto
1 pimentão vermelho pequeno
1/2 xícara de leite de coco
Dendê a gosto
1/2 litro de água

Preparo

Amoleça o pão na água, passe na máquina de moer carne e reserve. Bata no liquidificador os temperos e a castanha com meio litro de água. Acrescente o pão e o gengibre. Misture tudo, acrescentando 300 ml de água. Leve ao fogo brando para cozinhar, mexendo sempre para que não pegue no fundo da panela. Depois de cozido, já com o fogo desligado, acrescente o leite de coco e o azeite-de-dendê. Não deve retornar mais ao fogo.

Doces, salgados e sobremesas

Bananas com queijo

6 bananas-da-terra maduras fatiadas
1 xícara de queijo-de-minas ralado em ralo grosso
1/2 xícara de açúcar mascavo
2 colheres de sopa de canela em pó

Preparo

Em uma fôrma refratária grande, untada com um pouco de óleo de milho, arrume uma camada de fatias de bananas, espalhe por cima um pouco de queijo ralado e sobre este um pouco de açúcar mascavo misturado com canela. Vá repetindo as camadas até terminarem os ingredientes. Por cima deve ficar uma camada de queijo e açúcar com canela. Leve ao forno quente por uns 20 minutos. Pode ser utilizada também banana-d'água.

Banana real com castanha de caju

4 xícaras de farinha de trigo integral
2 xícaras de germe de trigo
1/2 colher de chá de sal
2 colheres de sopa de óleo de milho
2 colheres de sopa de fermento biológico fresco
1 colher de sopa de açúcar mascavo
1/2 xícara de água morna
4 a 5 bananas-da-terra cozidas mas ainda firmes
2 colheres de sopa de castanha de caju

Preparo

Coloque o fermento, meia xícara de água morna e o açúcar mascavo em um recipiente e espere que cresça. Junte a farinha de trigo integral, o germe de trigo, o óleo e o sal ao fermento já crescido e coloque água morna aos poucos até que a massa solte das mãos. Deixe descansar por 30 minutos. Corte as bananas em 4 pedaços no sentido do comprimento. Depois de abrir a massa bem fina com um rolo sobre uma superfície enfarinhada, forme as bananas reais da seguinte forma: pincele as bananas com um pouco de melaço de cana diluído em um pouco de água e passe-as na farinha obtida com as castanhas de caju batidas no liquidificador. Coloque as bananas sobre a massa e forme pasteizinhos. Feche a banana real umedecendo as bordas com uma mistura de melaço de cana e água e comprimindo-as com o auxílio de um garfo. Assadeira untada com óleo de milho e polvilhada com farinha de trigo integral. Deixe descansar por 20 minutos antes de levar ao forno. Asse em forno quente. Quando tirar do forno, pincele a superfície dos pasteizinhos com mel ou melaço de cana.

Biscoito de aveia com ameixa

2 copos de farinha de trigo integral
1 copo de aveia em flocos
1 copo de açúcar mascavo
1 copo de iogurte fresco (200 ml)
2 colheres de sopa de óleo de milho
1 colher de sopa de canela em pó
1 pitada de sal
1 colher de sopa de água

Preparo

Em um recipiente, junte todos os ingredientes, inclusive o iogurte, que não deverá estar muito gelado, e a água. Misture bem. Caso a massa, depois de bem misturada, ficar seca, acrescente mais um pouco de água. A massa deve ficar bem macia, mas sem grudar nas mãos. Reserve.

Recheio

2 xícaras de ameixas secas sem caroços e picadas
3 colheres de sopa de açúcar mascavo
1 xícara de água

Junte esses ingredientes e leve ao fogo brando até que amoleçam. Espere esfriar e bata no liquidificador para formar uma pasta.

Arrumação

Abra a massa com um rolo em uma superfície polvilhada com farinha de trigo integral. Corte-a, depois de aberta, em tiras de aproximadamente dois dedos de largura. Coloque o recheio por cima e corte formando retângulos. Asse em tabuleiro untado com óleo de milho e polvilhado com farinha de trigo integral. Forno quente.

Depois de assados poderão ser unidos como se fossem sanduíches. Guardar em recipiente bem vedado.

Biscoito de banana com passa

1/2 xícara de passas sem sementes
2 xícaras de farinha de trigo integral
1 xícara de açúcar mascavo
2 colheres de sopa de coco ralado
4 bananas-maçã ou prata
2 colheres de sopa de água gelada
1 pitada de sal
1 colher de sopa de canela em pó

Preparo

Amasse as bananas com um garfo, acrescente a farinha de trigo integral, o açúcar, o coco ralado, a água gelada, o sal, a canela em pó e as passas. Misture tudo e deixe descansar por 30 minutos. Modele os biscoitos. Caso fiquem difíceis de serem modelados, molhe as mãos em água gelada. Coloque em uma fôrma untada com óleo de milho e polvilhada com farinha de trigo integral. Asse em forno quente.

Biscoito crocante

1/2 copo americano de água morna
1/2 xícara de castanha de caju picada
1/2 xícara de farelo de trigo
1/2 xícara de flocos de aveia
1/2 xícara de castanha-do-pará picada
1/2 xícara de coco ralado e torrado
2 colheres de chá de gengibre ralado
1/2 xícara de melaço de cana
2 colheres de sopa de canela em pó
2 colheres de chá de sal marinho
Farinha de trigo integral (o suficiente)
1 colher de sopa de óleo de milho

Preparo

Misture todos os ingredientes e vá acrescentando farinha de trigo integral até obter uma massa homogênea que não grude mais nas mãos. Abra a massa bem fina, com o auxílio de um rolo, sobre uma superfície plana e polvilhada com farinha de trigo integral. Corte a massa em tiras com mais ou menos dois dedos de largura. Coloque as tiras em uma assadeira polvilhada com farinha de trigo integral e asse-as em forno brando. Quando as tiras ficarem no formato de uma canoa e começarem a cheirar estarão assadas. Guarde-as depois de frias, inteiras ou quebradas em pedaços, em recipiente bem tampado.

Bolo de granola com maçã

1 1/2 copo americano de açúcar mascavo peneirado
2 colheres de sopa de óleo de milho
2 colheres de sopa rasas de fermento biológico fresco
1/2 xícara de água morna
1 1/2 copo americano de farinha de trigo integral
1/2 copo americano de granola
1 colher de sopa de açúcar mascavo
1 copo americano de leite de coco ou iogurte fresco
1 xícara de maçã ralada no ralo grosso
1 colher de sobremesa rasa de canela em pó

Preparo

Ponha o fermento para crescer com a água morna e o açúcar mascavo. Bata no liquidificador o leite de coco ou iogurte, o óleo e o açúcar. Em um recipiente, junte a mistura do liquidificador com a farinha de trigo integral, a granola e a canela. Misture tudo e acrescente o fermento já crescido. Em uma fôrma untada e polvilhada, coloque a metade da massa, a maçã ralada bem espalhada sobre ela e, por cima, o restante da massa. Enfeite com fatias de maçã e deixe descansar durante 20 minutos. Asse em forno quente.

Bolo de milho

2 xícaras de creme de milho
1 xícara de farinha de trigo integral
1/2 xícara de açúcar mascavo peneirado
2 colheres de sopa de óleo de milho
1 copo americano de leite de coco
3 colheres de sopa de chá de erva-doce
1 colher de sopa de fermento biológico fresco
1 colher de sopa de açúcar mascavo
3 colheres de sopa de água morna
1 pitada de sal

Preparo

Ponha o fermento para crescer numa vasilha com uma colher de açúcar mascavo e três de água morna. Bata no liquidificador o leite de coco, o açúcar e o óleo. Em um recipiente, coloque as farinhas e acrescente a mistura do liquidificador. Misture tudo com uma colher de pau e, por último, coloque o fermento já crescido. Misture vagarosamente e coloque em uma fôrma untada com óleo de milho e polvilhada com farinha de trigo integral. Pode-se acrescentar algumas passas à massa. Deixe descansar por 20 minutos. Asse em forno quente.

Compota de maçã

1 dúzia de maçãs nacionais vermelhas
1 xícara de água
2 1/2 xícaras de açúcar mascavo
Cravo e canela a gosto

Preparo

Lave bastante as maçãs e depois retire as cascas. Deixe-as inteiras, retirando apenas a porção que contém as sementes com o auxílio de uma faca. Coloque o açúcar, a água, o cravo e a canela em uma panela e leve ao fogo. Quando abrir fervura, ponha as maçãs, abaixe o fogo, tampe a panela e deixe cozinhar até que fiquem macias. Depois de frias, conserve na geladeira.

Compota de pêra

12 pêras
2 xícaras de açúcar mascavo
1 xícara de água
Cravo e canela a gosto

Preparo

Lave, descasque e corte pela metade as pêras. Retire as sementes. Numa panela grande, ponha a água, o açúcar, o cravo, a canela, deixe dar uma rápida fervura e em seguida coloque as pêras. Deixe cozinhar em fogo brando o tempo suficiente para que fiquem tenras.

Cuscuz de milho com banana

250 g de flocos de milho
2 colheres de sopa de farinha de mandioca
Sal a gosto
Água que baste para umedecer
1 banana-da-terra ou nanica

Preparo

Misture os flocos de milho com sal, coloque água aos poucos para umedecer a massa e, usando as pontas dos dedos, misture os ingredientes. Esfarele a massa entre as mãos e deixe descansar por 10 minutos. Caso a massa fique muito seca, acrescente mais um pouco de água. Arrume em um cuscuzeiro uma camada da massa, por cima a banana cortada em rodelas, mais massa e, por último, o restante da banana. Leve ao fogo e deixe cozinhar até que comece a fumaçar e a cheirar. Sirva simples ou com fatias de queijo.

Doce de banana

2 dúzias de bananas-prata ou nanica
2 xícaras de açúcar mascavo
1 1/2 xícara de água
Cravo e canela a gosto

Preparo

Coloque em uma panela o açúcar, o cravo, a canela e a água. Leve para cozinhar. Enquanto espera a calda abrir fervura, prepare as bananas da seguinte forma: descasque-as, tire os fiapos e corte-as em rodelas não muito finas. Junte-as à calda quando esta já estiver fervendo e deixe cozinhar em fogo brando até que fiquem avermelhadas. Mexa sempre para que não peguem no fundo da panela.

Doce de banana com ameixa

2 dúzias de bananas-prata ou nanica
2 xícaras de açúcar mascavo
2 xícaras de água
Cravo e canela a gosto
250 g de ameixas pretas

Preparo

A forma de preparo é a mesma utilizada para o *Doce de banana* (pág. 90). Quando o doce estiver quase pronto, acrescente as ameixas, já retirados os caroços, e deixe cozinhar até que fiquem bem macias e as bananas avermelhadas. Pode ser servido com castanha de caju ou iogurte.

Doce de caju

3 dúzias de cajus
2 xícaras de água
Cravo e canela a gosto
800 g de açúcar mascavo

Preparo

Lave bastante os cajus, retire as cascas e a parte escura onde fica preso o talo. Fure com um garfo e retire o suco. Em uma panela, que não deve ser pequena, coloque a água, o cravo, a canela e o açúcar. Quando começar a ferver, coloque os cajus, abafe e abaixe a chama do fogão. Mexa cuidadosamente de vez em quando para que o doce não grude no fundo da panela. Cozinhe até que os cajus fiquem macios e avermelhados.

Doce de goiaba

2 kg de goiabas maduras
1/2 kg de açúcar mascavo
Cravo e canela a gosto
2 xícaras de água

Preparo

Lave bastante as goiabas, descasque e retire os pontos pretos que, por acaso, existam, parta-as ao meio, retire as sementes, deixando apenas a parte carnosa e reserve. Em uma panela coloque água, açúcar mascavo, cravo e canela. Quando começar a ferver ponha as goiabas, abaixe o fogo e abafe. Mexa com uma colher de pau para não grudar no fundo da panela. Quando o doce estiver quase pronto bata as sementes no liquidificador com um pouco de água, passe na peneira e acrescente o caldo colhido ao doce que está no fogo. Deixe cozinhar mais um pouco mexendo sempre e com cuidado para não esmagar as goiabas. O doce estará pronto quando as goiabas estiverem macias e bem vermelhas.

Gelatina

1 pacote de agar-agar
Melaço de cana ou de malte a gosto
1 litro de água
1/2 litro de um desses sucos: uva, maçã ou melancia

Preparo

Em uma panela, coloque 1 litro de água e dissolva a gelatina. Misture e leve ao fogo mexendo sempre até que ferva. Depois que desligar o fogo, deixe esfriar um pouco, e acrescente um dos sucos citados. Juntar o melaço de cana ou malte a gosto. Em seguida, ponha em pequenos recipientes, espere esfriar e coloque na geladeira. Fica mais saborosa quando feita de véspera, com exceção da de melancia.

Obs.: O suco de uva e o de maçã são encontrados em casas de produtos naturais. Tenha, mesmo assim, o cuidado de observar o rótulo para certificar-se de que o produto é isento de aditivos químicos e conservantes. O suco de melancia é feito batendo-a no liquidificador com as sementes, sem adicionar água, e coando-a em seguida.

Geléia de ameixa

1 1/2 kg de ameixas frescas
3 xícaras de açúcar mascavo

Preparo

Em uma panela, ponha as ameixas com água o suficiente para cobri-las. Deixe ferver até que fiquem macias. Retire-as do fogo, escorra a água, retire os caroços e bata no liquidificador. Em seguida, leve o creme obtido ao fogo brando com o açúcar, mexendo de vez em quando para não grudar, até dar o ponto de geléia (cor caramelada, concentrada e doce). Armazene em frascos devidamente esterilizados.

Granola

2 copos americanos de flocos de aveia
2 copos americanos de flocos de milho
1 copo americano de flocos de arroz
1 copo americano de flocos de trigo
1 xícara de coco ralado
Melaço de cana a gosto
1 xícara de tapioca
1 xícara de castanha de caju picada
1 xícara de banana-passa picada
1/2 xícara de maçã desidratada picada
1 xícara de passas sem sementes

Preparo

Em uma assadeira grande, untada, coloque os flocos, o coco, a tapioca e o melaço de cana. Misture tudo e leve ao forno quente mexendo sempre para não queimar. Quando retirar do forno, acrescente a castanha, a banana-passa, as passas e a maçã desidratada. Sirva fria, simples, ou com frutas, iogurte, ou use no preparo de bolos, tortas, etc.

Iogurte

1 litro de água morna ou 1 litro de leite *in natura* morno
8 colheres de sopa de leite em pó desnatado ou integral (caso utilize a água morna)
1/2 copo de iogurte natural integral

Preparo

Bata no liquidificador a água e o leite em pó, depois acrescente o iogurte e bata mais um pouco. Em seguida coloque em copos ou em outros recipientes, abafe e deixe fora da geladeira durante a noite. No dia seguinte, o iogurte estará pronto. Conserve na geladeira e reserve meio copo para fazer outra receita. Fica muito gostoso quando servido com frutas, doces, pasta de ameixa, passas e granola. Adoce com melaço de cana.

Massa básica para pastel

1 copo americano de água morna
1 colher de sopa de fermento fresco biológico
1 colher de sopa de óleo de milho
1 colher de chá de sal marinho
1 colher de sopa de açúcar mascavo
Farinha de trigo integral (o suficiente)

Preparo

Coloque em um recipiente meio copo de água morna, o fermento e o açúcar mascavo. Deixe fermentar por 30 minutos. Após a fermentação, acrescente meio copo americano de água morna, o sal, o óleo e farinha de trigo integral suficiente para obter uma massa homogênea e que não grude nas mãos. Deixe essa massa descansar em um local abafado por mais ou menos 1 hora. Após esse tempo, abra a massa com o auxílio de um rolo sobre uma superfície plana e polvilhada com farinha de trigo integral. Corte a massa em círculos com o auxílio de uma xícara ou copo.

Minipizzas de pão integral

Fatias de pão integral
Queijo-de-minas frescal ou ricota
Orégano
Cebola
Azeite de oliva
Tomate
Pimentão vermelho

Preparo

Arrume as fatias de pão integral em uma assadeira ou fôrma de pizza. Sobre as fatias de pão coloque queijo-de-minas frescal ralado no ralo grosso ou pasta de ricota (ricota temperada com sal e um pouco de iogurte). Por cima do queijo ponha fatias bem finas de cebola, de tomate, pimentão em tiras e orégano. Leve ao forno para gratinar. Na hora de servir, coloque um fio de azeite de oliva. Pode ser acompanhada por uma vitamina de frutas batida com iogurte.

Pasta de ameixa

3 xícaras de ameixas secas sem caroços
1 xícara de água
1 xícara não muito cheia de açúcar mascavo

Preparo

Coloque todos os ingredientes para cozinhar em forno brando até que fiquem macios. Depois que esfriarem, bata no liquidificador. Pode-se acrescentar uma colher de chá de mel de abelha.

Pastel de ameixa

Massa básica para pastel (vide receita na pág. 98)

Recheio

Pasta de ameixa (vide receita na pág. 100)

Preparo

Depois de pronta a massa, abra os pastéis (vide pág. 98). Recheie com a pasta de ameixa. Depois de fechados, dê umas furadinhas com o auxílio de um garfo na superfície deles. Antes de irem ao forno, pincele a superfície com uma mistura preparada com 2 colheres de sopa de melaço de cana para 1 colher de sopa de água. Depois que tirá-los do forno, torne a pincelar com melaço de cana.

Pastel de doce de banana com queijo-de-minas

Massa básica para pastel (vide receita na pág. 98)

Recheio

Doce de banana (vide receita na pág. 90)
Queijo-de-minas

Preparo

Depois de pronta a massa, coloque-a em uma superfície polvilhada com farinha de trigo integral e abra-a com um rolo. Corte a massa em círculos do tamanho desejado. Recheie com doce de banana e pedaços de queijo-de-minas frescal. Depois que os pastéis estiverem prontos, faça furinhos com o auxílio de um garfo na superfície deles. Arrume-os em uma assadeira untada com óleo de milho e polvilhada com farinha de trigo integral. Antes de colocar os pastéis no forno, pincele a superfície deles com uma mistura preparada com 2 colheres de sopa de melaço de cana para 1 colher de sopa de água. Assim que tirar os pastéis do forno, torne a pincelar com melaço de cana ou mel.

Pastel de queijo-de-minas com orégano

Massa básica para pastel (vide receita na pág. 98)

Recheio

Queijo-de-minas
Orégano
Tomate
Azeitona preta

Preparo

Proceda da mesma forma que foi ensinada para o *Pastel de ricota* (pág. 104). Recheie com pedaços de queijo-de-minas, tomates picados, azeitonas pretas e, por último, o orégano. Feche os pastéis utilizando o método ensinado para o pastel de ricota. Não esqueça de pincelar os pastéis com uma mistura de água e *shoyo*. Asse em forno quente.

Pastel de ricota

Massa básica para pastel (vide receita na pág. 98)

Recheios

Primeiro: Cenoura
Coentro
Cebolinha
Cebola
Pimentão vermelho
Orégano
Ricota
Azeitonas pretas
Sal a gosto

Segundo: Ricota amassada
Sal a gosto
Orégano
Cebola ralada
Purê de tomate caseiro (vide receita na pág. 151)
Pimentão vermelho picadinho
Azeitonas pretas picadinhas
3 colheres de sopa de iogurte natural para cada xícara de ricota

Preparo

Rale as cenouras no ralo grosso e reserve. Corte todos os temperos bem miudinho, misture a cenoura, acrescente as azeitonas picadas, o sal e o orégano a gosto. Para cada duas xícaras de recheio, coloque uma xícara de ricota.

Arrumação

Depois da massa ter descansado, coloque-a numa superfície polvilhada com farinha de trigo integral e abra-a. Corte a massa em círculos, do tamanho desejado. Ponha o recheio, umedeça ligeiramente as bordas, dobre e pressione com um garfo. Deixe os pastéis arrumados em uma assadeira untada e polvilhada descansarem por 20 minutos. Antes de pôr no forno, pincele os pastéis com uma mistura de água e *shoyo*. Asse em forno quente. Depois que retirar do forno, pincele novamente.

Pizza de cenoura

Massa

2 copos americanos de farinha de trigo integral
2 colheres de sopa de óleo de milho
1 colher de chá de sal
2 colheres de sopa de fermento biológico fresco
2 colheres de sopa de água morna
1 colher de sopa de açúcar mascavo
2 colheres de sopa de iogurte natural (fresco)
Água morna (o suficiente para umedecer a massa)
Molho de tomate (vide receita na pág. 150)

Cobertura

4 a 5 cenouras
Coentro (o suficiente)
Cebolinha (o suficiente)
1 cebola média
1 tomate picado
Sal a gosto
Orégano (o suficiente)
Queijo-de-minas frescal ou ricota (o suficiente)

Preparo

Coloque o fermento para crescer, da mesma maneira como foi ensinada na receita de *Torta de ameixa* (pág. 118). Enquanto isso, ponha em um recipiente a farinha de trigo integral, o óleo, o sal e o iogurte. Misture tudo. Por último, acrescente o fermento, que já deve ter crescido. Junte água aos poucos, até obter uma massa enxuta e que não grude nas mãos. Cubra o recipiente e deixe descansar por 30 minutos. Abra a massa com a ajuda de um rolo e ponha em uma fôrma para pizza untada com óleo de milho. Ponha o molho de tomate misturado com o orégano e asse a massa. Em seguida recheie com a cenoura ralada em um ralo grosso, coentro, tomate, cebola e cebolinha picados, sal a gosto e orégano. Por cima, coloque o queijo-de-minas ralado em um ralo grosso ou a ricota, azeitonas pretas e mais orégano. Leve ao forno quente para gratinar. Quando retirar do forno, regue com um pouco de azeite de oliva (opcional).

Pizza de abobrinha com queijo-de-minas

Massa (vide a receita de *Pizza de cenoura* na pág. 106)
1 abobrinha média
Queijo-de-minas frescal
Molho de tomate (vide receita na pág. 150)
Orégano

Preparo

Lave a abobrinha com água e sabão de coco, corte-a em rodelas finas (não é necessário a retirada da casca nem das sementes). Proceda com a massa da mesma forma que foi ensinada nas receitas de pizza anteriores. Asse a massa. Depois de assada, ponha um pouco de molho de tomate, o queijo-de-minas ralado na parte mais grossa do ralo, as fatias de abobrinhas e o orégano. Leve ao forno para gratinar. Retire a pizza do forno e, se quiser, regue com um pouco de azeite de oliva.

Pizza de banana-da-terra cozida com ricota

Massa (vide a receita de *Pizza de cenoura* na pág. 106)
2 bananas-da-terra
Melaço de cana (o suficiente)
Orégano
Ricota (o suficiente)
Molho de tomate (vide receita na pág. 150)

Preparo

Cozinhe as bananas e corte-as em rodelas. Amasse a ricota e tempere com um pouco de sal. Abra a massa com um rolo e coloque numa fôrma para pizza untada com óleo de milho. Espalhe um pouco do molho de tomate sobre a massa e leve ao forno para assar. Em seguida, ponha as rodelas de banana, espalhe por cima a ricota e regue com um pouco de melaço de cana. Salpique um pouco de orégano. Volte ao forno para gratinar.

Pizza de palmito com pimentão

Massa (vide a receita de *Pizza de cenoura* na pág. 106)
Palmitos frescos ou 1 vidro de palmito em conserva
1 pimentão vermelho cortado em tiras finas
Orégano
Queijo-de-minas frescal
Molho de tomate (vide receita na pág. 150)
Azeitonas pretas

Preparo

Lave bastante os palmitos, principalmente se não forem frescos. Sendo frescos, cozinhe-os em água com sal e depois corte-os em rodelas. Rale o queijo-de-minas na parte grossa do ralo e reserve. Em seguida, abra a massa com o auxílio de um rolo e coloque em uma fôrma de pizza untada com óleo de milho. Espalhe o molho de tomate sobre a massa. Leve ao forno para assar. Depois de assada, ponha o palmito, mais um pouco de molho de tomate, as azeitonas, o queijo-de-minas, as fatias de pimentão e o orégano. Leve ao forno para gratinar. Na hora de servir, regue com um pouco de azeite de oliva (opcional).

Pizza de ricota

Massa (vide a receita de *Pizza de cenoura* na pág. 106)
Molho de tomate (vide receita na pág. 150)
Orégano
Cebola (opcional)
Ricota (o suficiente)
Azeitonas pretas
1/2 copo de iogurte natural (fresco)
Sal a gosto

Preparo

Asse a massa da mesma forma anteriormente ensinada. Amasse a ricota com um garfo, tempere com sal a gosto, um pouco de orégano, iogurte e azeitonas pretas picadas. Ponha essa pasta de ricota sobre a massa já assada, acrescente mais um pouco de molho de tomate e enfeite com rodelas de cebola ou pimentão. Leve ao forno para gratinar. Depois de gratinada, regue com um pouco de azeite de oliva (opcional).

Pudim de abóbora

2 xícaras de abóbora cozida e amassada
1 xícara de ricota
1 xícara de leite de coco
5 colheres de sopa de açúcar mascavo peneirado
2 colheres de sopa de melaço de cana
1 colher de sopa de óleo de milho
1 pitada de noz-moscada
3 colheres de sopa de araruta
1 colher de sopa de canela em pó

Preparo

Bata todos os ingredientes no liquidificador até obter um creme. Coloque em uma fôrma para pudim caramelizada com uma calda feita com açúcar mascavo. Leve ao forno para assar. Sirva gelado com calda de ameixa.

Rocambole de ameixa

2 xícaras de farinha de trigo integral
1 xícara de germe de trigo
Chá de erva-doce com canela (o suficiente para dar ponto à massa)
1 colher de sopa de fermento biológico fresco
1 colher de sopa de açúcar mascavo
4 colheres de sopa de água morna
1 colher de sopa de óleo de milho
Pasta de ameixa para o recheio (vide receita na pág. 100)

Preparo

Coloque o fermento para crescer da mesma forma como foi ensinada na receita de *Torta de ameixa* (pág. 118). Numa tigela, ponha as farinhas, o fermento (que já deve ter crescido) e o chá, aos poucos, até que a massa solte das mãos. Abra com um rolo, recheie, enrole e pincele a superfície com melaço de cana. Ponha em uma fôrma untada com óleo de milho e polvilhada com farinha de trigo integral. Deixe descansar por 30 minutos. Forno quente.

Salada de frutas

1 abacate médio
12 bananas-prata
1 mamão médio
4 maçãs vermelhas (nacional)
Uva rosada a gosto

Preparo

Corte todas as frutas em pequenos cubos de forma harmoniosa. Acrescente 6 colheres de sopa de água gelada. Misture tudo e sirva com um pouco de iogurte, melaço de cana e granola.

Sanduíche de ricota

Fatias de pão integral
1/2 xícara de ricota
3 colheres de sopa de iogurte
1 pitada de sal
1 cenoura ralada
Acelga ou alface (o suficiente)
Orégano a gosto

Preparo

Amasse a ricota com um garfo e tempere com sal a gosto. Acrescente o iogurte, o orégano, misture tudo e reserve. Rale a cenoura em um ralo grosso e corte a acelga ou a alface em tiras bem finas. Cubra as fatias de pão com a pasta de ricota, coloque por cima a cenoura ralada, um pouco da folha verde e, por último, mais um pouco de ricota. Sirva frio.

Strudel *de maçã*

2 xícaras de farinha de trigo integral peneirada
1 colher de sopa de óleo de milho
1 pitada de sal
Água (o suficiente)
Canela em pó
8 maçãs nacionais vermelhas descascadas
1 xícara de passas sem sementes

Preparo

Misture a farinha de trigo, o óleo e o sal. Acrescente a água aos poucos e misture tudo muito bem até ficar uma massa que não grude nas mãos. Trabalhe um pouco a massa, sem sovar. Deixe descansar por 30 minutos. Depois, em uma superfície polvilhada, abra com um rolo até que fique bem fina. Coloque as fatias de maçã sobre a massa, espalhe as passas, um pouco de água, o açúcar mascavo e, por último, a canela em pó. Enrole como se fosse um rocambole. Depois de enrolado, pincele com água misturada com algumas gotas de *shoyo* e polvilhe com açúcar mascavo peneirado. Coloque em uma assadeira untada com óleo de milho e polvilhada com farinha de trigo integral. Asse em forno quente por 40 minutos.

Strudel *de banana*

2 xícaras de farinha de trigo integral peneirada
1 colher de sopa de óleo de milho
1 pitada de sal
Água (o suficiente)
2 dúzias de bananas-nanicas
1 1/2 xícara de açúcar mascavo
1 xícara de água

Preparo

A massa é feita da maneira ensinada na receita de *Strudel de maçã* (pág. 116). Numa panela, ponha uma xícara de água, o açúcar mascavo, cravo e canela e, quando começar a ferver, coloque as bananas cortadas em rodelas, diminua a chama do fogo e tampe a panela. Quando as bananas ficarem escuras e com pouca calda, desligue o fogo. Deixe esfriar um pouco e amasse-as com um garfo.

Arrumação

Abra a massa com um rolo em uma superfície polvilhada com farinha de trigo integral, deixando-a bem fina. Espalhe por cima da massa o doce de banana. Enrole como se fosse um rocambole. Pincele com água misturada com algumas gotas de *shoyo* e polvilhe açúcar mascavo peneirado. Coloque em uma assadeira untada com óleo de milho e polvilhada com farinha de trigo integral. Asse em forno quente durante 40 minutos.

Torta de ameixa

1 copo americano de açúcar mascavo peneirado
3 copos americanos de farinha de trigo integral
1 xícara de castanhas de caju batidas no liquidificador
2 colheres de sopa de óleo de milho
2 colheres de sopa de fermento fresco
1 colher de sopa de açúcar mascavo
1/2 xícara de água morna
1 pitada de sal
1 1/2 copo de leite de coco ou de iogurte fresco
Pasta de ameixa (vide receita na pág. 100)

Preparo

Coloque o fermento para crescer junto com meia xícara de água morna (temperatura que o dedo suporte) e uma colher de sopa de açúcar mascavo. Deixe que o fermento cresça. Enquanto isso, retire o leite do coco da seguinte forma: sem descascar o coco, corte-o em tiras finas e bata no liquidificador com um copo de água. Coe em um pano fino para retirar o leite. Em um recipiente coloque a farinha de trigo integral e a castanha de caju batida no liquidificador, acrescente o leite de coco ou o iogurte que, previamente, foi misturado com o açúcar mascavo e as duas colheres de sopa de óleo de milho. Misture tudo com uma colher de pau e, por último, acrescente o fermento. Mexa mais um pouco. Em uma fôrma untada e polvilhada coloque a massa e deixe descansar por 30 minutos. Então, asse em forno quente. Depois de assado divida o bolo ao meio e recheie, guardando uma parte do recheio para a cobertura. Pode-se colocar, por cima, castanha de caju picada.

Obs.: Pode ser recheado com geléia de maçã e coberto com pasta de ameixa.

Torta de banana-nanica com ameixa

2 1/2 xícaras de farinha de trigo integral
1/2 xícara de germe de trigo
2 colheres de sopa de fermento biológico fresco
1 colher de sopa de açúcar mascavo
3 colheres de sopa de água morna
3 colheres de sopa de iogurte fresco
1 colher de sopa de óleo de milho
3 colheres de sopa de melaço de cana
Chá de erva-doce com canela (o suficiente para dar ponto à massa)

Recheio

1 1/2 dúzia de bananas-nanica maduras fatiadas
Pasta de ameixa (vide receita na pág. 100)

Preparo

Ponha o fermento para crescer com uma colher de sopa de açúcar mascavo e três colheres de sopa de água morna (temperatura que o dedo suporte). Em um recipiente, ponha a farinha de trigo, o germe de trigo, o melaço, o óleo de milho, o iogurte e o fermento que já deve ter crescido. Misture tudo e, por fim, coloque o chá, aos poucos, até que a massa solte das mãos. Deixe a massa descansar por 30 minutos. Em uma superfície polvilhada com farinha de trigo integral, abra a massa, que não deverá ser grossa. Unte uma fôrma redonda sem furo no meio e disponha a massa com o excesso para o lado de fora da fôrma. Recheie da seguinte forma: primeiro espalhe um pouco da pasta de ameixa, por cima coloque a banana fatiada, e novamente a pasta de ameixa até que acabe o recheio. Feche com o restante da massa e enfeite com rodelas de banana. Pincele toda a superfície da massa e as bananas com melaço de cana. Dê umas furadinhas com um garfo. Forno quente para assar.

Torta gelada de banana-nanica

1 1/2 xícara de farinha de trigo integral
1/2 xícara de açúcar mascavo
3 colheres de sopa de canela em pó
1 1/2 dúzia de bananas-nanica bem maduras

Preparo

Corte as bananas em fatias e reserve. Em um recipiente misture a farinha de trigo integral, o açúcar e a canela em pó. Fôrma untada com óleo de milho.

Arrumação

No fundo da fôrma coloque um pouco da mistura seca, ponha por cima as fatias de banana, e vá então colocando as camadas, sendo que a última deve ser de banana. Forno quente. Quando as bananas começarem a soltar um mel passe ao redor das bordas internas da fôrma uma faca para que esse mel possa chegar ao fundo. A torta estará pronta quando as bananas que ficam no meio da torta ficarem rosadas e as que ficam na superfície estiverem com o aspecto semelhante ao da banana-passa. Depois de fria, coloque-a na geladeira.

Pavê de frutas

2 xícaras de banana cortada em rodelas
2 xícaras de mamão cortado em pequenas tiras
2 xícaras de maçã nacional vermelha cortada em pequenas tiras
8 colheres de sopa de aveia
50 g de passas
1 copo americano de água
1/2 xícara de leite de coco grosso
1 1/2 xícara de iogurte natural (fresco)
3 colheres de sopa de ricota
Açúcar mascavo a gosto

Preparo

Leve ao fogo a água, a aveia e o açúcar, mexendo sempre até formar um mingau. Depois de cozido e já com o fogo desligado, acrescente o leite de coco. Deixe esfriar.

Arrumação

Em um refratário, ponha as frutas misturadas com as passas, por cima o creme de aveia e finalizando a última camada com o iogurte misturado com a ricota amassada e açúcar a gosto. Esta mistura tem que ficar um creme homogêneo. Ponha-o no congelador e sirva com calda de ameixa.

Vitamina de frutas

2 bananas-prata maduras
1/2 maçã nacional vermelha com casca
1 fatia de mamão
Açúcar mascavo a gosto
1 copo de iogurte natural (fresco)

Preparo

Bata todos os ingredientes no liquidificador e sirva.

Pães

Chapáti

3 xícaras de farinha de trigo integral
1 colher de chá rasa de sal marinho
1 xícara de água

Preparo

Misture todos os ingredientes até obter uma massa homogênea e que não grude nas mãos. Deixe descansar em um local abafado por 30 minutos. Retire pequenas quantidades da massa e, com o auxílio de um rolo, abra-as até que fiquem bem finas. Asse em uma frigideira aquecida, sem utilização de óleo. Depois de assado, sirva com queijo-de-minas (ou ricota temperada), orégano, tomate e um fio de azeite de oliva.

Pãozinho de aniversário

2 colheres de sopa de fermento biológico fresco
1 xícara de água morna
1 copo de iogurte natural
8 colheres de sopa de açúcar mascavo
3 colheres de sopa de óleo de milho
1 colher de sobremesa de sal marinho
Farinha de trigo integral (o suficiente)
Germe de trigo (o suficiente)

Preparo

Ponha para fermentar as 2 colheres de sopa de fermento com 2 de açúcar mascavo e a xícara de água morna. Deixe a mistura crescer. Depois de crescido, acrescente o iogurte, 6 colheres de sopa de açúcar mascavo, o óleo e o sal. Misture tudo. Junte aos poucos a farinha de trigo integral, na proporção de 2 copos de farinha de trigo para 1 copo de germe de trigo, até formar uma massa macia e fácil de ser trabalhada. Forme uma bola, unte com um pouco de óleo de milho e deixe descansar por 30 minutos em um local abafado. Modele os pãezinhos e deixe crescer em local abafado por 2 horas. Fôrma untada e forno quente. Quando tirar do forno pode polvilhar com açúcar mascavo peneirado misturado com canela em pó, ou então castanha de caju triturada. Caso utilize a castanha, pincele os pães com um pouco de melaço para que estas se fixem na superfície dos pães.

Pão flor

1 colher de sopa de fermento biológico fresco
1 colher de sopa de açúcar mascavo
1 colher de sopa de óleo de milho
1 colher de chá de sal marinho
1 copo americano de água morna
1 colher de sopa de canela em pó
Pasta de ameixa (o suficiente)
Melaço de cana (o suficiente)
Farinha de trigo integral (o suficiente)
Castanha de caju picada
250 g de germe de trigo para cada 500 g de farinha de trigo integral

Preparo

Proceda para a fermentação como foi ensinado na receita de *Pão de trigo integral* (pág. 133). Após a fermentação, acrescente o óleo de milho, o sal, a canela, 4 colheres de sopa de melaço de cana, o germe de trigo e a farinha de trigo integral. Misture tudo até obter uma massa homogênea e que não grude nas mãos. Trabalhe essa massa sem sovar por alguns minutos. Deixe descansar em um local abafado por 1 hora. Após a massa ter descansado, abra com um rolo sobre uma superfície lisa devidamente polvilhada com farinha de trigo integral. Com a massa já totalmente aberta, pincele com melaço de cana e espalhe a pasta de ameixa sobre sua superfície poupando apenas as extremidades. Enrole no formato de rocambole. Corte o rocambole em 5 partes iguais e disponha-as em posição vertical numa fôrma para pudim já devidamente untada com óleo de milho. Mantenha unidos os rocamboles na fôrma utilizando um pequeno pedaço de massa enrolada como se fosse um sequilho e colocada entre os rocamboles na sua porção superior. Deixe descansar na fôrma em um local abafado por mais ou menos 40 minutos. Asse em forno quente. Assim que retirar o pão do forno, desenforme e pincele a superfície com melaço de cana e salpique um pouco de castanhas de caju picadas.

Pão de milho

2 colheres de sopa de fermento biológico fresco
2 colheres de sopa de açúcar mascavo
2 colheres de sopa de óleo de milho
2 colheres de chá de sal marinho
2 copos americanos de água morna
2 copos americanos de fubá de milho
Farinha de trigo integral (o suficiente)
250 g de germe de trigo para cada 500 g de farinha de trigo integral

Preparo

Proceda para o processo de fermentação como foi ensinado na receita de *Pão de trigo integral* (pág. 133). Após a fermentação, acrescente o óleo de milho, o sal, um copo americano de água morna, o fubá de milho, o germe de trigo e a farinha de trigo integral. Misture tudo até obter uma massa homogênea e que não grude nas mãos. Trabalhe essa massa sem sovar por alguns minutos. Deixe descansar em um lugar abafado por mais ou menos 1 hora. Unte duas fôrmas grandes com óleo de milho. Após a massa ter descansado, divida ao meio, modele, coloque nas fôrmas untadas e deixe descansar em um local abafado por mais ou menos 40 minutos. Asse em forno quente.

Pão de passas e ameixas

2 colheres de sopa de fermento biológico fresco
2 colheres de sopa de açúcar mascavo
2 colheres de sopa de óleo de milho
2 colheres de chá de sal marinho
2 copos americanos de água morna
1 copo americano de passas e ameixas (sem caroços) picadas
8 colheres de sopa de melaço de cana
2 colheres de sopa de canela em pó
Farinha de trigo integral (o suficiente)
250 g de germe de trigo para cada 500 g de farinha de trigo integral

Preparo

Proceda para a fermentação como foi ensinado na receita de *Pão de trigo integral* (pág. 133). Após a fermentação, acrescente o óleo de milho, o sal, um copo americano de água morna, as passas e as ameixas, o melaço de cana, a canela em pó, o germe de trigo e a farinha de trigo integral. Misture tudo até obter uma massa homogênea e que não grude nas mãos. Trabalhe essa massa sem sovar por alguns minutos. Deixe descansar em um local abafado por mais ou menos 1 hora. Enquanto isso, unte duas fôrmas grandes para pães. Após a massa ter descansado, divida ao meio e coloque nas fôrmas untadas. Deixe descansar por mais ou menos 40 minutos. Asse em forno quente por mais ou menos 35 minutos. Assim que tirar os pães do forno, desenforme e pincele com melaço de cana.

Pão de trigo integral

2 colheres de sopa de fermento biológico fresco
2 colheres de sopa de açúcar mascavo
4 colheres de sopa de óleo de milho
2 colheres de chá de sal marinho
2 copos americanos de água morna
Farinha de trigo integral (o suficiente)
250 g de germe de trigo para cada 500 g de farinha de trigo integral

Preparo

Coloque em um recipiente fundo um copo americano de água morna, o fermento, o açúcar mascavo e um punhado de farinha de trigo integral. Abafe e deixe fermentar por mais ou menos 1 hora.

Após a fermentação, acrescente o óleo de milho, o sal, o germe de trigo e mais um copo americano de água morna. Misture tudo e acrescente aos poucos a farinha de trigo integral até obter uma massa homogênea e que não grude nas mãos. Trabalhe um pouco essa massa sem sovar. Deixe descansar em um lugar abafado por mais ou menos 1 hora. Enquanto a massa descansa, unte duas fôrmas grandes para pão com óleo de milho. Após a massa ter descansado, divida ao meio, modele, coloque nas fôrmas e deixe descansar em um lugar abafado por mais ou menos 40 minutos. Asse em forno quente por mais ou menos 30 minutos.

Rosca natalina

1 colher de sopa de fermento biológico fresco
1 colher de sopa de açúcar mascavo
1 colher de chá de sal refinado
1 colher de sopa de óleo de milho
1 copo de 300 ml de iogurte natural integral
1 copo americano de água morna
5 colheres de sopa de melaço de cana
3 colheres de sopa de canela em pó
Pasta de ameixa (vide receita na pág. 100)
1 xícara de castanha de caju picada
1 xícara de castanha-do-pará picada
1 xícara de passas sem sementes
1/2 xícara de banana-passa picada

Preparo

Proceda para a fermentação como foi ensinado na receita de *Pão de trigo integral* (pág. 133). Após a fermentação, acrescente o óleo de milho, o sal, o iogurte, o melaço de cana, a canela em pó e a farinha de trigo integral até obter uma massa homogênea e que não grude nas mãos. Deixe a massa descansar por mais ou menos 1 hora. Abra a massa com um rolo. Depois de aberta, espalhe na superfície a pasta de ameixa, a castanha de caju e a do pará, as passas e a banana-passa. Enrole no formato de rocambole. Una as duas extremidades para formar um círculo. Polvilhe açúcar mascavo peneirado e misturado com canela em pó sobre a superfície da rosca. Coloque-a em uma fôrma redonda, untada e polvilhada com farinha de trigo integral deixando descansar por mais ou menos 40 minutos. Asse em forno quente por mais ou menos 35 minutos.

Quando retirar do forno, pincele a superfície com melaço de cana e polvilhe castanha-do-pará e de caju, passas e ameixas.

Sopas

Sopa de abóbora

1 litro de água
3 cebolas grandes
Sal marinho a gosto
Tempero verde
1 pedaço de abóbora

Preparo

Refogue as cebolas com água e tempero verde. Depois, acrescente 1 litro de água, pedaços de abóbora e sal. Deixe cozinhar em fogo brando. Bata no liquidificador e sirva. Pode-se acrescentar salsa crua picada na hora de servir.

Sopa de ervilha fresca

1/2 kg de ervilhas frescas
1 cebola média
1 1/2 xícara de coentro picado
1 xícara de cebolinha picada
1/2 pimentão vermelho
Sal a gosto
Água (o suficiente para o cozimento)

Preparo

Lave as ervilhas na água com limão e reserve. Em uma panela, ponha os temperos, que já devem ter sido devidamente lavados e cortados, e refogue em um pouco de água e sal. Em seguida, acrescente as ervilhas e mais um pouco de água morna, abafe a panela e diminua a chama do fogo. Deixe cozinhar até que as ervilhas fiquem macias. Depois de pronta, bata a sopa no liquidificador até ficar cremosa. Caso queira, sirva com salsinha picada.

Sopa de feijão verde

3 xícaras de feijão verde
1 cebola média
1/2 pimentão vermelho médio
1 folha de louro
4 colheres de sopa de hortelã picada
4 colheres de sopa de cebolinha picada
3 colheres de sopa de purê de tomate caseiro (vide receita na pág. 151)
Sal a gosto
Água (o suficiente para o cozimento)

Preparo

Cate e lave o feijão. Pique todos os temperos e refogue com sal e um pouco de água. Acrescente o feijão, a folha de louro e mais um pouco de água. Abafe a panela e cozinhe em fogo brando até que o feijão fique macio. Depois de pronto, bata no liquidificador. Na hora de servir, acrescente coentro picado e pedacinhos de queijo-de-minas frescal (opcional).

Sopa de inhame com manjericão

1/2 kg de inhame
1 xícara de coentro picado
1/2 xícara de cebolinha picada
1 cebola média
1/2 pimentão vermelho médio
Manjericão (o suficiente)
Sal a gosto

Preparo

Corte todos os temperos bem miúdo ou bata no liquidificador. Refogue em um pouco de água morna. Junte mais água, o sal, as rodelas de inhame, abafe e cozinhe em forno brando. Depois de cozido, bata no liquidificador com algumas folhinhas de manjericão. Sirva ainda quente.

Sopa de verduras

2 cenouras
1 chuchu
1 xícara de vagem picada
1 xícara de abóbora picada
1 cebola média
1/2 xícara de cebolinha picada
1 xícara de coentro picado
1/2 xícara de salsa picada
1/2 pimentão vermelho pequeno
Sal a gosto

Preparo

Lave bastante os legumes e corte-os em pequenos cubos. Faça o mesmo com os temperos. Refogue os temperos em um pouco de água morna. Acrescente mais água, o sal e as verduras, seguindo esta ordem: primeiro as vagens, depois as cenouras, o chuchu e, por último, a abóbora. Cozinhe em panela tampada e em fogo brando. Quando for servir, ponha folhinhas de salsa picadas sobre a sopa.

Molhos

Maionese de abacate

1/2 abacate grande
1 dente de alho socado
1/2 limão pequeno
Sal a gosto
Água (o suficiente)
Azeite de oliva (o suficiente)

Preparo

Bata no liquidificador o abacate com um pouco de água e, em seguida, junte o sal, o azeite e o limão. Bata mais um pouco e a maionese estará pronta.

Maionese de cenoura

2 xícaras de ricota
3 cenouras
Salsa a gosto
Sal a gosto
1 colher de café de azeite de oliva

Preparo

Rale a cenoura em um ralo fino, pique a salsa, e misture-as ao sal, à ricota e ao azeite de oliva. Bata no liquidificador, ligando e desligando. Mexa com uma colher até obter um creme.

Molho de iogurte

1 xícara de iogurte
1/2 xícara de salsa picada
1 dente de alho
Sal a gosto
1 colher de café de azeite de oliva

Preparo

Pique bem miudinho a salsa e o alho. Junte o azeite e o iogurte. Tempere com o sal e misture tudo muito bem. Sirva com saladas, sanduíches, etc.

Molho de tomate

4 a 5 tomates maduros
2 cebolas médias
2 colheres de sopa de purê de tomate (vide receita na pág. 151)
Sal a gosto
Água (o suficiente para o cozimento)
1/2 pimentão vermelho pequeno

Preparo

Leve todos os ingredientes ao fogo brando e deixe cozinhar. Depois de cozidos, bata no liquidificador.

Purê de tomate

1 kg de tomates bem maduros
1/2 xícara de água

Preparo

Lave bastante os tomates com água e sabão de coco e enxágüe bastante para tirar bem todo o sabão. Em seguida retire a parte escura que prende o tomate ao talo. Leve-os ao fogo em uma panela contendo meia xícara de água e deixe que cozinhem em fogo brando e com a panela tampada até que todos os tomates fiquem totalmente desmanchados. Depois que esfriar bata no liquidificador e despeje em vidros esterilizados. Conserve na geladeira.

Cardápios

Cardápios

1. Salada crua
   Feijão verde
   Ensopado de abóbora com quiabo
   Arroz temperado

2. Salada crua
   Salada no vapor
   Baião-de-dois
   Torta de chuchu com queijo

3. Tabule
   Quiabada
   Arroz com legumes
   Croquete de milho verde

4. Salada crua
   Feijão verde com dendê
   Almôndegas de arroz integral com castanhas
   Frigideira de chuchu com coco

5. Salada crua
   Lasanha de palmito
   Ensopado de vagem com abóbora

6. Salada crua
   Cozido

7. Salada crua
   Bolinho de arroz
   Torta de cenoura com ricota
   Legumes no vapor

8. Salada crua
   Salada de feijão verde
   Purê de inhame
   Maxixada

9. Salada crua
   Couve-flor ao forno
   Arroz com cenoura
   Purê de abóbora

10. Salada crua
    Abobrinhas recheadas
    Feijão verde
    Legumes no vapor

11. Salada crua
    Macarrão com abóbora
    Torta de legumes com milho verde

12. Salada crua
    Feijão verde
    Empanada de palmito
    Arroz com cenoura

13. Salada crua
    Vatapá
    Caruru
    Feijão verde
    Arroz

14. Salada crua
    Lasanha de ervilha com manjericão
    Ensopado de vagem com abóbora

15. Festinha de aniversário:

    Torta de ameixa
    Pãozinho
    Pastel de ricota
    Banana real
    Empanada de palmito
    Strudel de maçã e de banana
    Gelatina de uva e maçã
    Salada de frutas
    Pastel de queijo-de-minas com orégano
    Torta gelada de banana-nanica

    Bebidas:

    Água de coco
    Suco de melancia

Índice das receitas

Índice das receitas

PRATOS QUENTES

Abobrinhas recheadas 37
Abobrinhas refogadas 38
Almôndegas de arroz integral com castanhas 39
Andu (feijão guandu) 40
Arroz com cenoura 42
Arroz temperado 41
Baião-de-dois 43
Bolinho de aipim 44
Bolinho de arroz 45
Caruru 46
Chuchu ao forno 72
Couve-flor ao forno 47
Cozido 48
Croquete de milho verde 50
Delícia de legumes e milho verde 73
Empanada de palmito 51
Ensopado de abóbora com quiabo 53
Ensopado de vagem com abóbora 54
Feijão verde 55
Feijão verde com dendê 56
Feijoada de legumes 57
Frigideira de chuchu 58
Lasanha de manjericão e ervilhas verdes 60
Lasanha de palmito 59
Macarrão com abóbora 61

Macarrão com manjericão 62
Macarrão parafuso com legumes 63
Maxixada 64
Nhoque de abóbora 65
Purê de abóbora 66
Purê de inhame 67
Quiabada 68
Quibe de forno com cenoura e ricota 69
Torta de cenoura com ricota 70
Vagem com ricota 74
Vatapá de abóbora 75
Vatapá de pão 76

DOCES, SALGADOS E SOBREMESAS

Bananas com queijo 79
Banana real com castanha de caju 80
Biscoito de aveia com ameixa 81
Biscoito de banana com passa 83
Biscoito crocante 84
Bolinho de aipim 44
Bolo de granola com maçã 85
Bolo de milho 86
Compota de maçã 87
Compota de pêra 88
Cuscuz de milho com banana 89
Doce de banana 90
Doce de banana com ameixa 91
Doce de caju 92
Doce de goiaba 93
Gelatina 94
Geléia de ameixa 95
Granola 96
Iogurte 97
Massa básica para pastel 98
Minipizzas de pão integral 99

Pasta de ameixa   100
Pastel de ameixa   101
Pastel de doce de banana com queijo-de-minas   102
Pastel de queijo-de-minas com orégano   103
Pastel de ricota   104
Pavê de frutas   123
Pizza de abobrinha com queijo-de-minas   108
Pizza de banana-da-terra cozida com ricota   109
Pizza de cenoura   106
Pizza de palmito com pimentão   110
Pizza de ricota   111
Pudim de abóbora   112
Rocambole de ameixa   113
Salada de frutas   114
Sanduíche de ricota   115
Strudel de banana   117
Strudel de maçã   116
Torta de ameixa   118
Torta de banana-nanica com ameixa   120
Torta gelada de banana-nanica   122
Vitamina de frutas   124

PÃES

Chapáti   127
Pãozinho de aniversário   128
Pão flor   129
Pão de milho   131
Pão de passas e ameixas   132
Pão de trigo integral   133
Rosca natalina   134

SALADAS

Saladas cruas   29
Salada de feijão verde ou ervilha fresca   32

Salada no vapor 31
Tabule 33

SOPAS

Sopa de abóbora 139
Sopa de ervilha fresca 140
Sopa de feijão verde 141
Sopa de inhame com manjericão 142
Sopa de verduras 143

MOLHOS

Molho de iogurte 149
Molho de tomate 150
Purê de tomate 151

MAIONESES

Maionese de abacate 147
Maionese de cenoura 148

Leia também:

Culinária Natural e Vegetariana

UCHA MANDACARU

No intuito de fornecer aos leitores uma visão mais ampla no que se refere à alimentação, a autora, de maneira simples e objetiva, sem se prender muito a teorias, passa dos pratos triviais aos de maior requinte, procurando mostrar a simplicidade da sua proposta de uma cozinha totalmente vegetariana.

A par de conselhos sobre o tipo mais indicado de panelas e utensílios de cozinha, sobre como cortar os alimentos, sobre o equilíbrio *yin* e *yang* na escolha dos pratos, sobre o uso adequado da água e dos temperos, a autora analisa rapidamente as vantagens da comida vegetariana e mostra de que modo se pode passar, gradativamente, de uma dieta rica em proteína animal para outras formas de alimentação, igualmente ricas em vitaminas, proteínas e sais minerais com vantagem e sem perder a vitalidade.

Completa o volume uma série de receitas para o lanche, o almoço e o jantar, com pratos salgados e doces que, integrados, ajudarão os leitores a organizar sem dificuldade uma lista bem variada de cardápios visando facilitar de forma criativa esse aspecto tão importante do dia-a-dia das pessoas: o da alimentação.

EDITORA PENSAMENTO

Cozinha Vegetariana

SALADAS

Caroline Bergerot
(Sefira)

Caroline Bergerot, autora do *best-seller Cozinha Vegetariana*, preparou uma série de livros, abordando em cada um deles um tema específico, com grande riqueza de detalhes, sendo indicados tanto para as pessoas que não têm prática na cozinha como para as mais experientes nesse ramo da atividade doméstica ou mesmo comercial.

Para os dias atuais, quando o que se procura cada vez mais é uma alimentação sadia e leve, este livro traz receitas inéditas e saborosas de diferentes tipos de saladas feitas com os diversos ingredientes que a natureza nos oferece. Neste volume, o leitor encontrará soluções rápidas para as refeições diárias, como a *Salada de Aspargo e Melão*, e também saladas para ocasiões especiais, como a *Salada Tropicália*.

Caroline Bergerot (Sefira) é paulistana. O ambiente em que passa a maior parte do seu tempo – uma fazenda no Centro-Oeste brasileiro – oferece-lhe o ambiente e o incentivo para a elaboração das receitas que divulgou no volume *Cozinha Vegetariana – Saúde e Bom Gosto em mais de 670 Receitas* – publicado pela Editora Cultrix, e nestes pequenos volumes que constituem como que uma amostra convincente da sua capacidade de criar num setor em que a acomodação e a industrialização anulam a inventividade das pessoas.

Editora Cultrix

HOMEOPATIA: CIÊNCIA E CURA

George Vithoulkas

Homeopatia, a "medicina da energia", é um ramo da ciência médica que se baseia no princípio de que a doença pode ser curada pelo fortalecimento do mecanismo de defesa do corpo, com substâncias selecionadas por suas propriedades energéticas. Na homeopatia é escolhida como remédio uma substância que, em seu estado natural, produziria num corpo sadio os mesmos sintomas encontrados na pessoa enferma que sofre de um mal específico. Mas essa substância é diluída e purificada, ficando reduzida à quintessência de seu estado de energia, de modo a não prejudicar o organismo.

Contrastando com a medicina tradicional em que os sintomas são tratados com drogas tóxicas que enfraquecem o corpo, a medicina homeopática visa mudar os níveis energéticos do corpo que estão na raiz da doença. Instituída no século XIX pelo Dr. Samuel Hahnemann, a prática da homeopatia vem despertando nos últimos anos uma nova onda de interesse, à medida que mais e mais médicos e pacientes esclarecidos descobrem os poderes curativos da energia natural.

Em *Homeopatia: ciência e cura*, George Vithoulkas coloca ao alcance do leitor um texto claro e compreensível, aliando a teoria à prática desse importante ramo da medicina. Escrito em linguagem clara e concisa, com muitas ilustrações, referências e casos estudados, seu livro é uma fonte excelente e indispensável de consulta.

EDITORA CULTRIX

COZINHA VEGETARIANA
Saúde e bom gosto em mais de 670 receitas

Caroline Bergerot
(Sefira)

Caroline Bergerot (Sefira) nasceu em São Paulo. Logo cedo quis colocar em prática seus estudos sobre alimentação e vida sadia.

Com a família, deixou a cidade natal e transferiu-se para uma fazenda no Centro-Oeste, onde a pesquisa e o trabalho sucedem em ritmo harmonioso e intenso.

Com a alegria que lhe é própria, sentiu o impulso de divulgar, pelas receitas deste livro, a facilidade com que podemos mudar hábitos, quaisquer que sejam. Seu amor pela natureza levou-a a valorizar os vegetais, e sua criatividade os transformou em excelentes sugestões para os que buscam nos alimentos não apenas o necessário sustento, mas também o contentamento de viver.

Numa área onde a vegetação perde diariamente espaço para pastos de gado de corte, o trabalho que Caroline Bergerot e sua família realizam na Fazenda Vedas é um exemplo. Inspirado em sólidos princípios ecológicos e filosóficos, visa a uma harmonia universal. Desde 1990 ali se forma um núcleo de reflorestamento, cultivo de árvores frutíferas e outras, várias delas em extinção. Nesse ambiente propício para a paz e a vida consagrada ao belo, procura-se também recuperar as nascentes de água que o desmatamento da região aos poucos vem enfraquecendo.

Essa atmosfera estimulou a Autora a nos proporcionar estas sugestões culinárias, úteis tanto para principiantes na cozinha quanto para os mais experientes. São sugestões que oferecem saídas para os que procuram transformar antigos e questionáveis hábitos alimentares. Logo no princípio do volume já se notam as intenções de Caroline, que sem preconceitos usa e combina os mais preciosos elementos com que a terra nos brinda.

EDITORA CULTRIX